Uma mulher segundo o coração de Deus

ELIZABETH GEORGE

Uma mulher segundo o coração de Deus

Seja uma mulher especial, segundo o plano de Deus para você

TRADUÇÃO DE *Patrícia Kerr*

Título original:
A Woman After God's Own Heart.
Publicado por Harvest House Publishers (Eugene, Oregon, EUA)

1ª edição: junho de 2001
28ª reimpressão: setembro de 2025

Revisão: Noemi Lucília L. S. Ferreira e Josemar de S. Pinto
Diagramação: Editae/Pedro Simão
Capa: Maquinaria Studio
Editor: Aldo Menezes
Editor-assistente: Fabiano Silveira Medeiros
Assistente editorial: Raquel Carvalho Pudo
Coordenador de produção: Mauro Terrengui
Impressão e acabamento: Imprensa da Fé

EDITORA HAGNOS LTDA.
Rua Geraldo Flausino Gomes, 42, conj. 41
CEP 04575-060 — São Paulo, SP
Tel.: (11) 5990-3308

E-mail: editorial@hagnos.com.br | Home page: www.hagnos.com.br
Editora associada à Associação Brasileira de Direitos Reprográficos (ABDR)

Dados Internacionais de Catalogação na Publicação (CIP)
Câmara Brasileira do Livro, SP, Brasil

George, Elizabeth.

Uma mulher segundo o coração de Deus: Seja uma mulher especial, segundo o plano de Deus para você / Elizabeth George; [tradução de Patricia Kerr]. — São Paulo: Hagnos, 2001.

ISBN 85-243-0198-8

Título original: A Woman After God's Own Heart.

1. Mulheres: livros de orações e devoções 2. Mulheres: vida religiosa. I. Título. II. Kerr, Patricia.

00-2432 CDD 248.843

Índices para catálogo sistemático:
1. Mulheres: Práticas religiosas: Cristianismo 248.843

A minhas queridas
filhas e amigas Katherine George Zaengle
e
Courtney George Seitz, que
compartilham do meu profundo
desejo de que se tornem mulheres
segundo o coração de Deus.

Sumário

UMA PALAVRA DE BOAS-VINDAS

Imagine vivermos de forma que as pessoas pensem a respeito de cada uma de nós – hoje e muito tempo depois de termos partido – como "uma mulher segundo o coração de Deus"!

Milhares de anos depois de ele caminhar por esta terra, nós ainda pensamos no rei Davi – o fiel pastorzinho que matou Golias, o guerreiro que misericordiosamente poupou a vida do rei Saul em mais de uma ocasião, o rei que dançou com alegria quando a Arca da Aliança voltou para Jerusalém – como "um homem segundo o coração de Deus" (1 Samuel 13.14 – New King James Version – tradução livre)!

Antes que você proteste: "Mas eu não estou na situação do rei Davi!", deixe-me lembrá-la que ele estava longe de ser perfeito. (Por acaso, o nome "Bate-Seba" a faz recordar-se de alguma coisa?) Apesar da tendência para se esquecer de consultar a Deus, apesar dos planos feitos a sangue-frio para assassinar Urias, a fim de possuir Bate-Seba, e apesar de sua criação não ter sido a ideal, foi dado a Davi o título de "homem segundo o coração de Deus".

Isso me incentiva a prosseguir no caminho para tornar-me uma mulher segundo o coração de Deus.

Acho também encorajador o fato de este caminho ser, nas palavras de Richard Foster, "o caminho da Graça disciplinada".[1] Ele explica:

> É disciplina, porque há trabalho para nós fazermos. Graça, porque a vida que recebemos de Deus é um presente que nunca poderíamos alcançar... a disciplina em e por si mesma não nos faz justos; apenas nos coloca perante Deus... A transformação... é trabalho de Deus.[2]

Nossa transformação em sermos mulheres segundo o coração de Deus é realmente trabalho dele. Mas o que ofereço aqui são orientações que podemos seguir para nos colocarmos diante de Deus – orientações que abrangem nossa vida devocional, nosso marido, nossos filhos, nosso lar, nosso crescimento pessoal e nosso ministério – de modo que Ele possa realizar o trabalho em nossos corações.

Você encontrará idéias práticas sobre o que significa seguir a Deus em todas as áreas da vida, idéias sobre como criar uma relação fervorosa com Deus, amando seu marido, alegrando-se com seus filhos, cuidando da casa, experimentando um crescimento pessoal e dando-se aos outros.

A viagem é estimulante e você encontrará muita alegria ao longo do caminho. Assim, convido-a a juntar-se a mim enquanto cada uma de nós busca ser a mulher que Deus convoca e a quem Ele dá poder para tornar-se uma mulher segundo o coração dele.

No amor de Cristo,

– Elizabeth George
Granada Hills, California

Parte 1

A Busca de Deus

1

UM CORAÇÃO DEDICADO A DEUS

Entretanto, pouco é necessário... Maria,
pois, escolheu a boa parte, e esta não lhe será tirada.
– Lucas 10.42

Eu havia feito isto milhares de vezes antes, mas há dois dias foi diferente. Estou falando sobre a caminhada que faço diariamente, quando a manhã ainda está cheia do orvalho da noite. Enquanto andava pelo bairro, notei uma mulher – provavelmente com seus 70 anos – caminhando pela calçada do parque. Usava um andador de alumínio e parecia ter sofrido uma queda. Era, também, um pouco curvada, sinal de osteoporose.

O que tornava esta situação diferente para mim? Bem, três dias antes havíamos enterrado minha sogra, Lois. Ela estava nos seus 70 anos quando Deus a chamou para estar com Ele... Lois usava um andador de alumínio... e Lois havia também sofrido uma leve queda.

Por causa de nossa recente perda, eu estava ainda um pouco deprimida, mesmo antes de reparar naquela mulher que tanto me lembrava Lois. Eu já tinha usado alguns lenços que havia levado comigo.

Meu coração e minha mente estavam

cheios de pensamentos como: "O que faremos para o Dia de Ação de Graças? Nós sempre passamos este dia na casa de Lois. Ela sempre preparou o peru, a salada, os temperos e as tortas caseiras. Como será uma reunião familiar sem ela?" E assim corriam meus pensamentos... Ela não estaria no seu banco costumeiro, aos domingos na igreja... Eu não teria mais motivos para pegar a estrada que levava à sua casa. Além disso, a casa nem era mais dela... Agora, quem estaria orando por nós? De que forma a falta do poder de sua oração afetaria a todos nós – o ministério de Jim, o meu ministério, as vidas das meninas, este livro?

Enquanto eu observava aquela querida e persistente senhora, lutando para andar, e me lembrava da batalha de Lois contra o câncer e a pneumonia no final de sua vida, percebi que estava enfrentando a dura realidade. Todos nós temos um corpo que um dia vai desaparecer – e este dia não está necessariamente tão longe.

Lembrei-me também mais uma vez de quão desesperadamente quero que minha vida – verdadeiramente cada dia, cada minuto – tenha valor! Contudo, conforme imaginava esta cena e pensava nestas coisas, atentei para o fato de que meu aniversário de 50 anos havia chegado – e passado. Meu 30º aniversário de casamento também já tinha acontecido. E minhas duas crianças eram agora jovens senhoras, já casadas, em suas próprias casas, com maridos para amar e seus próprios bebês para cuidar. Meu tempo estava acabando!

Um coração transformado

Agora, não quero que você pense que este livro é "desanimador"! Certamente, esta não é a forma pela qual pretendo começar um livro sobre mulheres segundo o coração de Deus. Mas estes pensamentos não marcam o final da minha caminhada – ou da minha história. Deixe-me contar o que aconteceu depois.

Prosseguindo em minha caminhada, percebi que precisava levar adiante meus pensamentos. Estivera envolta em pensamentos terrenos – humanos, físicos, seculares – em vez de me deixar envolver por pensamentos de fé. Minha perspectiva estava errada! Como cristãs, devemos andar pela fé, não pelo que vemos (2

Coríntios 5.7), então, elevei meu coração e minha mente e comecei a ajustar minha perspectiva, a fim de que se encaixasse na visão de Deus para minha vida (e para a de Lois, e para a sua), sua visão eterna, que orienta nosso passado e futuro, assim como nosso presente.

Correndo para o meu refúgio, encontrei certo versículo da Bíblia. Eu o decorei há muito tempo e, desde então, o tenho aplicado à minha vida de muitas maneiras. As palavras estavam frescas em minha mente, pois o pastor que dividiu o púlpito com meu marido Jim (filho único de Lois) no velório de minha sogra usou-as quando enaltecia a vida dela. Foram palavras que Jesus falou sobre Maria, irmã de Lázaro e Marta. Ele disse:

"... pouco é necessário ou mesmo uma só coisa; Maria, pois, escolheu a boa parte, e esta não lhe será tirada" (Lucas 10.42).

Enquanto pensava nestas palavras de Jesus sobre uma das mulheres que o seguiam – a quem Ele estava defendendo de críticas – encontrei-me olhando diretamente para o sentido fundamental de "um coração segundo Deus" e fui imensamente confortada.

Primeiramente, fui confortada sobre Lois. Embora a sua convivência conosco tivesse acabado, ela havia feito com que o valor de sua vida perdurasse por todos os dias e pela eternidade. Ela havia escolhido a única coisa, a coisa necessária, a cada dia: ela havia escolhido de todo o coração viver todos os dias para o Senhor. Ela amava a Deus, louvava a Deus, andava com Deus, servia a Deus e olhava para a frente para estar com Ele na eternidade. Apesar de um câncer doloroso e de ter ficado viúva duas vezes, Lois conheceu a verdadeira paz e alegria interior enquanto nutria um coração de devoção a Deus. Eu não tenho dúvida de que a vida de minha sogra definitivamente teve grande valor para o Reino!

Fui também confortada sobre minha própria vida. Afinal, Deus conhece os desejos do meu coração – na verdade, foi Ele quem os colocou ali (Salmos 37.4)! Ele conhece a quantidade de sonhos – e oração – que tenho nutrido para me tornar o tipo de mulher que Ele quer que eu seja. Ele também sabe que, enquanto estou sonhando, sinto-me assustada e estou ciente de que os anos estão passando, e que há cada vez menos tempo para que eu me torne a mulher que desejo ser. Mas a paz de Deus se apodera de mim quando me lembro que, ao escolher, cada dia, a parte necessária – que nunca me será tirada –, minha vida torna-se mais significativa diante do Senhor. Deus requer meu coração – todo ele – e minha dedicação. Quando escolho entregar tudo, quando escolho viver totalmente para Ele, minha vida torna-se de mais valor aos seus olhos. Ele quer ocupar o primeiro lugar em minha vida, quer ter a prioridade acima de todas as prioridades!

E, minha querida amiga e mulher segundo o coração de Deus, sou confortada por você, também, porque sei que você me acompanha na aspiração pelas coisas divinas. Ser uma mulher de Deus, amá-lo fervorosamente de todo o coração, é nosso único desejo. Quer você esteja empurrando um carrinho de criança, um carrinho de supermercado ou um andador de alumínio, quer você seja solteira, casada ou viúva, quer o seu desafio sejam seus oito filhos ou a ausência de uma criança, quer você tenha de cuidar de crianças com sarampo, de um marido com câncer ou de sua própria osteoporose, sua vida terá valor – muito e significativo valor – se você enfrentar os desafios com um coração cheio de devoção, de dedicação a Deus.

Eu não havia planejado começar este livro com estes pensamentos. Mas, considerando a vida que Lois escolheu viver cada dia, homenageá-la é um bom início para um livro sobre mulheres segundo o coração de Deus. Lois me mostrou como é importante escolher amar a Deus e segui-lo... com todo o coração... cada dia... enquanto vivermos. Cada dia torna-se mais significativo quando nos dedicamos a Deus!

Um coração dedicado a Deus

Uma reflexão minuciosa sobre a atitude de Maria, uma mulher que se sentou aos pés de Jesus e foi por Ele elogiada, traz para nós o verdadeiro significado de um coração dedicado a Deus. O que fez Maria que levou o Salvador a elogiá-la?

MARIA SOUBE DISCERNIR O QUE ERA NECESSÁRIO – Os fatos que levam às palavras de Jesus compõem uma cena que nos induz a olhar para o coração de Maria (Lucas 10.38-42). Provavelmente acompanhado por seus discípulos, Jesus foi à casa de Marta, irmã de Maria, para ali fazer uma refeição. Tenho certeza que aquele foi um momento de alegria e festa. Imagine: Deus, em carne e osso, vindo para o jantar! Ele era todo amor, todo cuidado, todo preocupação e todo sabedoria. Seria o céu na terra estar na presença de Jesus – a presença de Deus!

Mas Marta, a irmã de Maria, não soube discernir o milagre de Deus, que se apresentava ali, em carne. Conseqüentemente, prejudicou aquela visita com seu comportamento. Ela foi além do seu papel de boa anfitriã, envolvendo-se demais com seus afazeres domésticos. Quando Jesus passou a transmitir palavras de vida – a Palavra de Deus falada pelo próprio Deus – e Maria deixou de lado os afazeres para sentar-se em silêncio aos pés do Senhor, Marta deixou extravasar a sua ansiedade, frustração e desagrado. Interrompeu o Mestre, seu convidado, para dizer: "Senhor, não te importas de que minha irmã tenha deixado que eu fique a servir sozinha? Ordena-lhe, pois, que venha ajudar-me." Marta não conseguiu perceber a prioridade e a importância do tempo com Deus.

Maria, uma mulher segundo o coração de Deus, fez a escolha que indicou um coração cheio de devoção pelo Senhor: ela sabia que era importante interromper o trabalho, parar todas as atividades, colocando de lado as coisas secundárias, para voltar toda a sua atenção para o Senhor. Ao contrário de sua irmã, que se achava tão ocupada fazendo as coisas *para* Jesus que não gastou qualquer tempo *com* Ele, Maria colocou a adoração ao Mestre como prioridade em sua lista de ocupações.

MARIA ESCOLHEU O QUE ERA NECESSÁRIO – Porque Maria era uma mulher segundo o coração de Deus, estava preocupada todo o tempo com uma só coisa – Ele! Sim, ela também o serviu. Ela também cumpriu as responsabilidades determinadas por Deus. Mas fez, continuamente, a escolha de realizar o que era mais importante: utilizar o tempo para adorar a Deus. Ela havia aprendido que nada deve tomar o lugar do tempo passado na presença de Deus. Realmente, esse tempo vivido aos pés do Senhor alimenta e direciona todos os atos do serviço cristão. E, como seu Mestre observou, o tempo utilizado em ouvir e adorar a Deus não deve ser olvidado, pois é tempo que resulta em buscas eternas, em dividendos permanentes. E Maria escolheu gastar esse tempo precioso com Jesus.

Sim, mas como?

Como você e eu poderemos nos tornar mulheres dedicadas a Deus, mulheres que vivam para Ele e o amem profundamente? O que poderemos fazer para seguir o exemplo de Maria, passando a realizar escolhas que demonstrem ao mundo inteiro que somos mulheres segundo o coração de Deus, escolhas essas que resultem na ação divina de mover-nos o coração em direção a Ele?

1. Escolher os caminhos do Senhor em todas as oportunidades – Comprometa-se com você mesma a escolher ativamente Deus e seus caminhos – como Maria fez – em toda decisão, palavra, pensamento e resposta. Este é um livro sobre como viver de acordo com as prioridades de Deus. Queremos que nossas escolhas reflitam que Ele é nossa maior prioridade. A palavra "prioridade" significa "preferência". Nossa escolha deve ser os caminhos de Deus em todas as coisas. Algumas diretrizes nos ajudarão nisso. É simples; mas também sei que é fácil vacilar diante das escolhas.

Provérbios 3.6 – "Reconhece-o em todos os teus caminhos, e ele endireitará as tuas veredas." Esse poderia ser o versículo-tema deste livro – e de nossas vidas! Ele descreve uma parceria de mão dupla entre nós e Deus: nossa parte é fazer cessar nossa própria atuação e admitir unicamente a ação divina. A parte de Deus é dirigir nossos caminhos. Devemos consultar a Deus em toda decisão, palavra, pensamento ou resposta. Antes de prosseguirmos em nossas decisões ou simplesmente agirmos por nós mesmas, precisamos parar e pedir: "Senhor, o que queres que eu faça – ou pense, ou diga – neste momento ou aqui?"

O que o texto de Provérbios 3.6 significa em nossa vida diária? Deixe-me responder com dois exemplos.

Eu acordo e já começo a viver o meu dia. Logo cedo, ao iniciar as tarefas diárias, surgem situações que poderiam tornar-se crises! O telefone toca. São más notícias ou alguma situação que exija de mim uma decisão pessoal. Procuro parar de agir com minha própria mente – e talvez até parar fisicamente (como fez Maria) – e consultar a Deus: "Senhor, o que queres que eu faça agora?" Simplesmente deixo de agir com a minha mente e com o meu espírito e me submeto à ação de Deus. Esta é a minha parte em nossa parceria.

Estou novamente no decorrer do dia e cruzo com alguém que me diz algo que me fere. Antes que eu responda com rancor (este é o meu alvo, a qualquer preço), antes de lançar um olhar de aborrecimento, tento outra vez parar de agir por mim mesma... sentar-me na presença de Deus... e erguer-lhe meus pensamentos: "Senhor, o que queres que eu faça agora? O que queres que eu diga? Como queres que eu aja?" E ainda pergunto: "Que expressão devo ter em minha face ao ouvir essas coisas?" Com isso, estou confessando que Deus mesmo escolhe os meios, as maneiras, os métodos em minha vida. Esta é a minha parte.

Quando eu faço a minha parte, Deus assume e faz a parte dele: Ele dirige meus caminhos! É quase como se os pensamentos que afloram à minha mente viessem dele. Porque lhe peço direção e quero fazer as coisas do modo dele – e não do meu modo –, Ele dirige meus passos. Ele me instrui e me ensina o que fazer, como agir e o que dizer (Salmos 32.8). Deus é fiel à sua promessa: "...os teus ouvidos ouvirão atrás de ti uma palavra, dizendo: Este é o caminho, andai por ele" (Isaías 30.21).

BOM, MELHOR, ÓTIMO! – Quando você era criança, talvez tenha ouvido a professora dizer: "Bom, melhor, ótimo; nunca descanse, até que o seu bom seja melhor e o seu melhor, ótimo." Tenho procurado aplicar este provérbio de maneira muito prática em minhas decisões e escolhas. Foi isso que Maria fez. Aqui está um exemplo de como ter agido assim me ajudou.

Como a maioria das pessoas em Los Angeles, passo grande parte do dia dirigindo o meu carro. Ali estou completamente só e posso fazer o que desejar. Eu gostava de dirigir ouvindo o rádio ligado numa estação que transmitia músicas suaves. Era um hábito bastante agradável. Depois de pensar um pouco, porém, decidi que o melhor para mim seria ouvir uma estação de música clássica (uma de minhas paixões). Pensando um pouco mais ainda, decidi passar a ouvir fitas de músicas cristãs enquanto dirigia. Progredi nessa escala de boas escolhas e decidi aproveitar aquele tempo ouvindo fitas de sermões – palavras de um homem de Deus, que ensinava a Palavra de Deus ao povo de Deus. Logo depois, decidi que ouvir fitas com leituras bíblicas seria melhor ainda. Então, um dia, desliguei o som do carro e passei a fazer o que para mim era a melhor opção durante aquele tempo na direção do carro: memorizar a Bíblia! Assim, fui passando de bom para melhor, de melhor para ótimo!

Logo que me converti, ouvi uma senhora contar sobre o tipo de escolha que ela fizera cada dia – como a escolha feita por Maria –, após o marido sair para o trabalho. Ela disse que poderia ter feito qualquer coisa que quisesse – ligar a TV, assistir a uma novela, ler um jornal, ou fazer o que ela escolheu: pegar sua Bíblia e ter o seu momento devocional com o Senhor. Ali estava uma mulher segundo o coração de Deus, bem atenta ao que era bom, melhor e ótimo para ela, esforçando-se para fazer as melhores escolhas!

Este é o nosso desafio também: escolher a Deus e aos seus caminhos que aprofundam nossa devoção com Ele.

APRESENTAR-SE EM TEMOR A DEUS – Uma das minhas passagens favoritas termina com estas palavras: "Enganosa é a graça, e vã, a formosura, *mas a mulher que teme ao Senhor*, essa será louvada" (Provérbios 31.30 – ênfase acrescentada). A reverência a Deus é um imperativo para as mulheres segundo o coração divino!

A autora e professora de estudos bíblicos, Anne Ortlund, assim expressou seu próprio temor a Deus: "Em meu coração, tenho uma preocupação... Desejo crescer mais em devoção cada dia que passa. Chamo a isso 'temor do Senhor', temê-lo e recear que qualquer pecado arruíne minha vida."[1]

Ainda sobre o coração e o medo de perder o melhor dele por

causa de escolhas malfeitas, foi compartilhado por outra mulher que admiro, Carole Mayhall, da organização de discipulado cristão "Os Navegantes". Ouvi Carole compartilhar em dois retiros para mulheres e, em ambas as vezes, ela disse: "Vivo diariamente com [um] medo – um medo saudável, se é que isso existe. É que eu poderei perder algo que Deus tem para mim nesta vida. E contemplar tudo aquilo que Ele quer que eu tenha, amplia a mente. Não quero perder nenhuma das riquezas de Deus por não ter dedicado tempo para deixá-lo invadir a minha vida. Por não escutar o que Ele me diz. Por permitir que a rotina, os problemas, me impeçam de viver o relacionamento mais empolgante e satisfatório da vida."[2]

Você teme a Deus? O que Ele quer fazer em você, para você e por você?

2. Comprometer-se diariamente com Deus – Nossa devoção a Deus é fortalecida quando renovamos nosso compromisso com Ele cada dia. Todas as manhãs, em uma oração sincera, escrita ou silenciosa, comece cedo com Deus, entregando-lhe tudo aquilo que você é, que você tem... agora... sempre... e diariamente. Coloque tudo no altar de Deus. A isto, um santo homem chamou "vida entregue".[3] Entregue sua vida a Deus, seu corpo (tal como ele é), seu marido, cada filho (um por um), sua casa, seus bens. Crie o hábito de colocar estas bênçãos nas mãos amorosas de Deus para que Ele faça com elas o que Ele deseja. Afinal de contas, elas não são suas – são dele!

Uma oração diária de compromisso nos ajuda a nos libertarmos do que pensamos ser nosso direito sobre essas bênçãos. Como diz o provérbio: "Segure todas as coisas de leve e nada com força." Também são úteis as palavras do escritor devocional do século 19, Andrew Murray: "Deus está pronto a assumir total responsabilidade pela vida entregue a Ele."[4]

Então, assuma um compromisso diário com Deus. Pode ser tão simples quanto esta oração, a primeira das "sete regras para o viver", de F. B. Meyer: "Faça uma consagração diária, definida e audível, de si mesma a Deus. Diga em alta voz: 'Senhor, hoje me entrego novamente a ti.'"[5]

A oração de compromisso que eu mais aprecio (e eu a escrevi na primeira página da minha Bíblia) é a de Betty Scott Stam, uma obreira da Missão no Interior da China. Ela e o marido foram conduzidos pelas ruas da China, antes de serem executados e decapitados, enquanto seu bebê dormia num berço. Esta era a sua oração diária:

> Senhor, abro mão de todos os meus planos e intenções, todos os meus desejos e esperanças, e aceito a tua vontade para minha vida. Entrego a mim mesma, meu tempo, tudo, totalmente, para ser tua sempre. Enche-me e marca-me com teu Santo Espírito. Usa-me conforme a tua vontade, envia-me para onde quiseres, trabalha toda a tua vontade em minha vida, a qualquer preço, agora e sempre.[6]

No caso de Betty Scott Stam, o preço foi alto. Este compromisso total com Deus custou-lhe o seu ministério, seu marido, seu filho, sua vida. Mas este tipo de compromisso representa realmente nossa chamada como filhos (Romanos 8.17).

3. Cultivar um coração abrasado – Sinto-me especialmente desafiada sobre a temperatura de meu próprio coração, sempre que penso nas palavras de Jesus: "Conheço as tuas obras, que nem és frio nem quente. Quem dera fosses frio ou quente! Assim, porque és morno e nem és quente nem frio, estou a ponto de vomitar-te da minha boca" (Apocalipse 3.15-16). De acordo com esta passagem, qual o pior tipo de coração para Deus?

Pense sobre estes fatos: Um coração frio significa estar decididamente abaixo do normal, desapaixonado, insensível às coisas de Deus! Existe o coração morno. É apenas meio quente, indiferente! Imagine ser indiferente para com Deus! Quente, abrasado, é a terceira opção – o tipo de coração que queremos ter. Com certeza, queremos cultivar um coração de alta temperatura, caracterizado por grande atividade, emoção ou paixão, ardente, excitante. Esse coração, sim. Um coração de alguém comprometido com Deus!

Alguma vez você já esteve com uma pessoa de coração abrasado por Deus? Eu já. Mike foi o escolhido para dar graças durante um jantar simples. Bem, quando você tem um coração abrasado, não se satisfaz em apenas dar graças numa oração! Prostrado em seu coração e alma, Mike começou uma oração de sincera adoração. Paixão fluía de seus lábios enquanto agradecia a Deus sua salvação; ter sido transportado da escuridão para o reino da luz; porque tinha estado perdido, mas agora já tinha sido achado; cego, mas agora podia ver. Ininterruptamente, Mike continuou em oração, até que eu, francamente, perdi o apetite, pois tinha achado outro alimento – o alimento para a alma! O coração abrasado de Mike me fez esquecer da comida quente para meu estômago!

Para Deus, nosso coração deveria ser como uma panela fervente. Deveria se caracterizar por uma intensa emoção e paixão pelo nosso Deus, movida pelo próprio Deus. Quando uma chaleira está fervendo em seu fogão, você sabe como é: ferve e apita. Salta para cima e para baixo e "pula" de um lado para o outro, movida por seu violento calor. Quente, ao ser tocada, transmite o calor que detém. Não há como ignorar sua alta temperatura. Igualmente, devemos ser ardentes e entusiasmadas pelas coisas divinas, e o próprio Deus nos abastecerá desse calor.

É o que eu quero para você – e para mim mesma! Quero a presença de Jesus em nossas vidas para fazer a diferença. Desejo que façamos transbordar sua bondade e louvor. Quero que nossos lábios falem das grandes coisas que Ele tem feito por nós (Lucas 1.49), que contem as suas maravilhas (Salmos 96.3). "Digam-no os remidos do Senhor...!" (Salmos 107.2).

Resposta do coração

Ah! querida irmã, como você classificaria a condição do seu coração? Oro para que já tenha entregue seu coração a Cristo, para que tenha iniciado uma relação eterna com Deus por meio de seu Filho Jesus. Se já for essa a sua situação, agradeça ao Senhor o maravilhoso privilégio de ser chamada filha de Deus!

Se você não tem certeza de onde está em relação a Deus, ou se você sabe claramente que está vivendo longe dele, confesse seu pecado, convide Jesus para ser seu Salvador e, fazendo isso, receba Cristo em sua vida e torne-se uma nova criatura nele (2 Coríntios 5.17). Sua oração poderá ser algo assim: "Ó Deus, quero ser tua filha, uma verdadeira mulher segundo o teu coração – uma mulher que viva sua vida em ti, por ti e para ti. Reconheço meu pecado e recebo teu Filho, Jesus Cristo, em meu coração carente, agradecendo-te a morte dele na cruz por minhas iniqüidades. Obrigada por me dares tua força, de forma que eu possa buscar o teu coração."

Outra vez, abra o seu coração, convide Jesus para nele entrar e deixe-o fazer de você uma mulher segundo o coração de Deus!

Agora você pode começar – ou recomeçar – a se colocar no ponto em que Deus possa desenvolver em você um coração de devoção. Todos os exercícios deste livro são dirigidos no sentido de ajudá-la a se colocar perante Deus, para que Ele mova o seu coração em direção a Ele. Nossa meta não é realizar nossa vontade própria, mas fazer cumprir a vontade divina em nossas vidas! Agora mesmo, ore por mais fervor!

2

Um coração firme na Palavra de Deus

Porque ele é como a árvore plantada junto às águas,
que estende as suas raízes para o ribeiro...
–Jeremias 17.8

A Bíblia fala de "tempo de plantar" (Eclesiastes 3.2). Para Jim, meu marido, esse tempo chegou como resultado do grande terremoto de 1994, aqui no sul da Califórnia. Um dos resultados da devastação que experimentamos em nossa casa (que fica a, aproximadamente, quatro quilômetros e meio do epicentro daquele tremor) foi a perda de partes do muro.

Depois de passado um ano daquele abalo sísmico, considerava-se uma bênção ter os muros de pé. Mas as paredes recentemente construídas estavam tão frias, tão tristes! Tão nuas! As antigas eram charmosas – adornadas pela idade, cobertas por rosas e figueirinhas-hera (uma espécie de trepadeira), como se fossem braços amigos envolvendo nosso gramado, quintal, casa e qualquer um que estivesse ali desfrutando de sua beleza. A fachada de pedras tinha servido como um apoio invisível para amáveis recordações – coisas vivas e florescentes que acrescentavam fragrância e cor ao nosso quintal. Agora tínhamos de começar tudo de novo. Era nosso tempo de plantar!

Então, Jim plantou... Treze novas figueirinhas-hera tinham a função de amenizar a aspereza dos novos muros. Doze delas estenderam seus dedos mágicos e começaram a cobrir amigavelmente a parede. Uma das plantas, porém, foi murchando lentamente, encolheu, secou e, finalmente, morreu.

Numa sexta-feira à tarde, voltando do trabalho, Jim escolheu uma planta para substituir aquela, trocou de roupa, pegou uma pá e curvou-se sobre a figueira morta, totalmente preparado para cavar o chão e plantar uma nova muda. Mas, para sua grande surpresa, não foi necessário usar a pá. No momento em que pegou a planta, essa saiu facilmente do solo. Não havia raiz! Embora aquela planta tivesse encontrado todas as condições necessárias, algo estava faltando debaixo da terra. Não havia o essencial em seu sistema de raízes para que ela extraísse do solo o alimento e a umidade para dar-lhe vida.

Este fato acontecido em nosso jardim retrata uma verdade espiritual, para você e para mim, mostrando como Deus faz crescer em nós um coração de fé: devemos nos empenhar em criar um sistema de raízes! As raízes fazem toda a diferença na saúde de uma planta. Olhando uma planta, qualquer pessoa pode perceber se ela possui ou não um bom sistema de raízes. A planta floresce ou não, cresce ou morre, progride ou seca. A saúde de ambos – uma planta num jardim ou um coração dedicado a Deus – reflete o seu estado interior, como eles vão (ou não vão!) embaixo na terra ou no íntimo de sua vida.

Extraindo vida da Palavra de Deus

Se Deus vai ocupar o primeiro lugar em nosso coração e se Ele vai ser a suprema prioridade de nossa vida, precisamos desenvolver um sistema de raízes profundamente apoiado nele. Como uma planta com suas raízes escondidas no subsolo, você e eu – diante dos outros e a sós com Deus – recebemos dele tudo aquilo de que precisamos para viver a vida abundante que Ele prometeu aos seus filhos (João 10.10). Precisamos viver nossa vida perto de Deus – realmente enraizadas nele! Ao buscarmos uma profunda vida em Cristo, devemos considerar alguns fatos sobre raízes.

AS RAÍZES NÃO SÃO VISTAS – Como em uma figueirinha-hera ou na maioria das plantas, nossas raízes espirituais são subterrâneas, invisíveis aos outros. Estou falando da sua vida íntima, sua vida oculta, a vida secreta que você desfruta com Deus, longe dos olhos dos outros. Um *iceberg* ilustra a importância do que está oculto.

Quando Jim e eu estávamos ensinando no Alasca, um pescador saiu com o meu marido em seu barco. Jeff não apenas mostrou a Jim o espetáculo das águias, das focas e das baleias, mas também levou, cuidadosamente, seu barco a circundar um *iceberg*. Ele explicou a Jim que apenas um sétimo do *iceberg* é visível sobre a superfície do mar e que qualquer pescador bem-informado sabe que não se pode chegar muito perto de um *iceberg* porque, submersos na água, estendem-se os outros seis sétimos de gelo. O que estava visível aos olhos – apenas uma fração da enorme massa de gelo – era o bastante para gerar medo, temor, pavor e respeito em qualquer marinheiro!

Esse é o nosso desejo – meu e seu – para nossa vida. Queremos que a parte visível de nossa vida – aquilo que outras pessoas podem ver – as leve ao mesmo tipo de temor e maravilha que temos dentro de nós. Queremos que a força vista por outras pessoas em nós seja o resultado de nosso relacionamento íntimo com Deus. Se com fé nutrirmos o que está escondido sob a superfície de nossa vida, as pessoas se maravilharão com o que virem de Deus em nós!

É fácil, porém, você e eu deixarmos de lado o nosso ideal de vida cristã. É fácil pensar que o que tem valor em nossa vida cristã é o tempo utilizado diante de pessoas, pessoas, e mais pessoas! Parece que estamos sempre com pessoas – os companheiros de trabalho, os colegas de escola, os do internato, os companheiros dos estudos bíblicos, as pessoas com as quais moramos, as que conosco participam do discipulado ou dos grupos de amigos.

A verdade é que "quanto mais do seu tempo diário – de sua vida – você passar a sós, silenciosamente com Deus, em reflexão, em oração, [em estudo], em programação e em preparação, maior será a eficiência, o impacto, o poder da parte de sua vida vista pelos outros".[1] Como ouvi um líder cristão dizer, você não pode estar o tempo todo *com* pessoas e exercer um ministério voltado *para* elas. O impacto causado pelo seu ministério está na proporção direta do tempo que você passa longe das pessoas e junto de Deus.

Nossa eficácia para com o Senhor requer uma decisão sábia em relação ao uso do nosso tempo. Tenho em minha Bíblia uma citação que ajuda a tomar decisões que dilatam o tempo empregado por mim no desenvolvimento de minha vida "subterrânea": "Nós devemos dizer 'não', não só a coisas erradas e pecaminosas, mas ainda a coisas agradáveis, lucrativas e boas, que prejudicariam e atrapalhariam o cumprimento de nossos grandes deveres e principais tarefas."[2] (O que são essas "coisas" agradáveis, lucrativas e boas, para você?)

Nossa eficácia para com Deus também requer solidão. Em seu pequeno livro *A maior coisa do mundo* (Juerp, RJ), Henry Drummond fez esta observação: "O talento se desenvolve na solidão – o talento da oração, da fé, da meditação, de ver o invisível; o caráter cresce na corrente da vida cotidiana."[3] Conforme nossas raízes se aprofundam no Senhor, Deus nos afasta dos apelos deste mundo.

RAÍZES SÃO PARA APROFUNDAR – O que acontece quando você e eu reservamos um tempo para estar com Deus, em estudo e oração? Recebemos dele. Aprofundamos nossa relação com Ele. Somos nutridas, alimentadas. Asseguramos nossa saúde espiritual e crescimento. Quando passamos tempo com Cristo, Ele nos dá força e nos incentiva na busca dos seus próprios caminhos.

Chamo este tempo com Deus de "a grande troca". Longe do mundo e fora da vista dos outros, troco meu cansaço por sua força, minha fraqueza por seu poder, minha escuridão por sua luz, meus problemas por suas soluções, meus fardos por sua liberdade, minhas frustrações por sua paz, minha agitação por sua calma, minhas esperanças por suas promessas, minhas aflições por seu bálsamo e conforto, minhas perguntas por suas respostas, meu embaraço por sua sabedoria, minha dúvida por sua garantia, meu nada por seu grandioso tudo, o temporal pelo eterno e o impossível pelo possível!

Vi a realidade desta grande troca em um retiro anual para mulheres de nossa igreja. Minha companheira de quarto e querida amiga era responsável por esse evento que contava umas 500 mulheres. Karen enfrentou tranqüilamente cada desafio e pôs seu senso administrativo para atuar em cada crise. Notei que, quando o início de cada reunião se aproximava, e o pânico crescia entre as líderes dos grupos que esperavam que as coisas corressem suavemente, Karen desaparecia. E quando algumas retirantes chegavam ofegantes, suando e cansadas ao nosso quarto, perguntando "Onde está Karen? Nós temos um problema!", ela estava onde ninguém podia encontrá-la.

Em uma dessas ocasiões misteriosas, vi, de relance, Karen descendo pelo corredor do hotel com sua pasta do retiro e a Bíblia na mão. Ela havia se preparado com antecedência para a sessão que se aproximava. Tinha revisado cuidadosamente os planos, o horário e os anúncios por uma última vez. Mas sentia necessidade de ler algumas porções preciosas da poderosa Palavra e, então, colocar nosso evento completamente nas mãos de Cristo, em oração.

Mais tarde – depois que Karen reapareceu – não pude deixar de notar o grande contraste entre ela e as outras líderes. Enquanto a ansiedade das outras mulheres crescia, Karen exibia a paz perfeita de Deus. Enquanto elas se irritavam, se preocupavam e desanimavam diante da pressão, a força de Karen – a força de Deus em Karen – brilhava com uma luz sobrenatural. "Debaixo da terra" e longe da multidão, ela havia trocado suas necessidades pela provisão de Deus.

RAÍZES SÃO PARA ARMAZENAMENTO – As raízes servem como um reservatório daquilo que nós precisamos. Jeremias 17.7-8 nos fala que a pessoa que confia no Senhor "é como a árvore plantada junto às águas, que estende as suas raízes para o ribeiro..." (versículo 8). Esta alma confiante, cujas raízes estão sugando a água da vida, exibirá algumas qualidades.

Em primeiro lugar, ela *não terá medo* do calor ardente, mesmo que os dias se transformem em um longo ano de seca. Ao contrário, suportará o calor com folhas verdes (versículo 8). O reservatório que ela tem na Palavra de Deus a sustentará no calor ardente, independente de quanto tempo ele dure.

Ela também *dará seu fruto fielmente*. Não deixará de frutificar, mesmo em tempos de seca (versículo 8). Por armazenar alimento do próprio Deus, ela será como uma árvore da vida – produzindo na estação própria e fora dela (Salmos 1.3).

Enquanto você e eu extraímos regularmente o alimento necessário da Palavra de Deus, Ele cria em nós um reservatório de esperança e força nele. Então, quando os tempos forem ásperos, nós não estaremos vazias. Não secaremos, não nos despedaçaremos, não morreremos. Não nos faltará nutrimento, não ruiremos, esvaziaremos ou desistiremos. Em vez disso, simplesmente saberemos buscar nosso reservatório secreto de alimento e dali tirar o que Deus nos tem dado, o que precisamos naquele momento. Estaremos preparadas para ir "de força em força" (Salmos 84.7).

Foi exatamente isso o que aconteceu comigo durante a doença da minha sogra. A hospitalização dela foi uma crise que desafiou minha resistência. Meu marido – seu filho único – estava em uma viagem internacional e literalmente fora do nosso alcance. Por causa das constantes exigências deste período difícil, eu não tive possibilidade de manter meus momentos silenciosos. Enquanto estava ao lado da cama de Lois, enquanto cuidava dela, não tive outra opção senão buscar meu reservatório.

E o que achei armazenado ali? Como evidência da graça maravilhosa de Deus, achei força em muitas passagens da Bíblia que tinha memorizado durante os anos. Recebi energia espiritual dos salmos lidos, estudados e recitados nas horas matinais (e silenciosas) a sós com Deus. Enquanto tocava seu poder pela oração, experimentei em meu coração "a paz de Deus, que excede todo o entendimento" (Filipenses 4.7). E fui fortalecida pelo exemplo do meu Salvador e de um grande número de homens e mulheres da Bíblia, que também acharam o de que precisavam da Palavra de Deus. Raízes profundas nas verdades de Deus são definitivamente necessárias como reservas para os tempos tempestuosos!

RAÍZES SÃO PARA APOIO – Sem um sistema de raízes bem desenvolvido, nossa "copa" se torna insuportável – uma pesada folhagem sem nenhum apoio. Sem o trabalho de uma rede de raízes fortes, cedo ou tarde teremos de nos apoiar em uma estaca, amarrados, sustentados, endireitados – até que o próximo vento bata e caiamos novamente! Mas com raízes firmes e saudáveis, nenhum vento poderá nos derrubar!

Sim, o apoio de um saudável sistema de raízes é vital para que permaneçamos firmes em Deus! Lembro-me do processo usado antigamente para o cultivo das árvores que se tornariam nos mastros principais dos navios mercantes e militares. Os grandes construtores de navios selecionavam as árvores localizadas no topo de altas colinas para provavelmente virem a ser o mastro de um navio. Então, eles cortavam todas as árvores que as circundavam e que protegeriam da força do vento as árvores que haviam sido escolhidas. Com o passar dos anos, e com os fortes açoites dos ventos contra aquelas árvores, elas cresciam e tornavam-se mais fortes ainda até que, finalmente, estavam suficientemente firmes para serem o mastro principal de um navio.[4] Quando temos um sistema de raízes sólido, também podemos ganhar a força necessária para permanecer firmes, apesar das pressões da vida!

Sim, mas como?

Como uma mulher pode aproximar-se do coração de Deus? O que podemos fazer para nos colocar numa posição em que Deus possa tornar cada uma de nós numa mulher de notável resistência?

1. *Desenvolver o hábito de nos aproximarmos de Deus* – Só por meio da exposição rotineira e regular à Palavra de Deus, você e eu poderemos extrair o alimento de que precisamos para cultivar um coração de fé.

Eu sei muito bem como é duro desenvolver esse hábito e como é fácil esquecer e deixar de fazê-lo. Por alguma razão, é comum que eu planeje passar a ter o meu tempo com Deus mais tarde, pensar que poderei fazê-lo daqui a pouco, ou que passarei apenas um dia sem ter esse momento com Deus – mas que estarei com Ele amanhã!

Entretanto, tenho aprendido que essas minhas boas intenções não adiantam em muito. É fácil eu iniciar o meu dia planejando ter o meu tempo silencioso um pouquinho mais tarde, depois de fazer algumas coisinhas pela casa, depois de dar alguns telefonemas, arrumar a cozinha, ligar a lava-louça, arrumar a cama, recolher as roupas do chão e – ah! – quase esqueci – esfregar a pia do banheiro. De repente, estou correndo e, de alguma forma, não consigo tempo para a relação mais importante da minha vida – minha relação com Deus! É por isso que preciso ser firme comigo mesma no objetivo de ter um tempo habitual, agendado com Deus, estando ou não com vontade, independente de parecer ou não o melhor uso do meu tempo. Preciso aproximar-me de Deus!

Aqui vai uma pergunta para sua meditação: Se alguém lhe pedisse para descrever o tempo silencioso que você teve na manhã de hoje; o que você diria? Foi exatamente essa a pergunta que Dawson Trotman, fundador do ministério "Os Navegantes", fazia aos homens e mulheres que se inscreviam para o trabalho missionário. Certa vez, ele passou cinco dias entrevistando os candidatos para o serviço missionário internacional. Gastou meia hora com cada um, perguntando especificamente sobre a sua vida devocional. Infelizmente, só uma, das 29 pessoas entrevistadas, disse que a vida devocional para ela era uma constante em sua rotina, uma fonte de força, orientação e alívio. Enquanto Trotman continuava a sondar aqueles homens e mulheres que planejavam uma vida toda de serviço a Deus, constatou que, desde que aquelas pessoas haviam conhecido o Senhor, nunca tinham tido uma vida devocional consistente![5] Desenvolver o hábito de aproximar-se de Deus definitivamente ajuda a tornar nossa vida devocional o que precisamos que ela seja – e o que Deus quer que ela seja!

2. Reservar um tempo pessoal para nos aproximarmos de Deus – Como mulheres, estamos acostumadas a esquematizar, planejar e programar os eventos de nossa vida. Sabemos como realizar festas, casamentos e retiros. No planejamento de seu tempo silencioso, não deve ser diferente – especialmente considerando o seu valor eterno! Considere que tipo de tempo seria ideal para você. Que elementos o tornariam um tempo de qualidade?

Quando? Tenha em mente um de meus lemas: *alguma coisa é melhor do que nada.* A única hora "errada" para ter o seu momento a sós com Deus seria "nenhuma hora"! Assim, escolha um tempo que se enquadre em seu estilo de vida. Algumas mães com filhos pequenos têm seu tempo com Deus no meio da noite. Algumas mulheres que trabalham fora o têm durante a hora do almoço – no carro, em um restaurante ou à mesa do escritório. Minha querida sogra tinha o seu tempo de comunhão íntima com Deus à noite, na cama, porque a dor não a deixava dormir e a Palavra de Deus a ajudava a relaxar. Certa mulher toma sua agenda todas as tardes de domingo, verifica os compromissos da semana e então marca seus encontros diários com Deus nos horários mais convenientes. Hudson Taylor revelou a um amigo que "o sol nunca tinha nascido sobre a China sem me encontrar em oração".[6] Como ele conseguia isso? "Para assegurar um tempo silencioso em oração, sem interrupções, ele se levantava sempre muito cedo, antes de a luz do dia raiar, e, se a natureza o exigisse, ele voltava a dormir depois disso."[7] Qual seria o melhor tempo para *você*? Ao definir qual o melhor momento, você já deu o primeiro passo nessa importante decisão!

Onde? Hoje em dia, minha cama é o melhor lugar para eu ter a minha hora tranqüila com Deus. Mas, por muitos anos, foi a mesa do café da manhã. Depois, por alguma razão, passei à sala de estar, usando o sofá e a mesa de centro. No verão, o melhor lugar para o meu momento a sós com Deus é o quintal. Bem, não importa onde você se encontra com Deus – contanto que você o faça! Tenho amigos que escolhem escrivaninhas e balcões como seu lugar para terem o seu momento a sós com Deus. Uma mulher transformou um guarda-louça antigo em seu local de oração. Certo livro que encontrei sugeria que se comprasse uma porta em uma loja de ferragens e a colocasse de maneira a formar dois gabinetes.[8] Faça tudo o que for preciso para ter um local específico para se encontrar com Deus.

O QUE MAIS AJUDA? Junte estes elementos indispensáveis: uma boa luz para leitura, canetas para grifar textos, lápis, marcadores, papéis adesivos, pequenos cartões, blocos para anotações, um caderno de oração e uma caixa de lenços. Você poderia também acrescentar um hinário, para guiar seus cânticos ou um aparelho de som com gravações de louvores cristãos ou estudos bíblicos. Talvez você precise dos seus versículos memorizados, um diário, uma concordância bíblica, um livro devocional ou alguns livros de referência. Verifique se tem tudo o de que precisa.

No que depender de você, prezada companheira na busca por ser uma mulher segundo o coração de Deus, faça tudo o que for preciso para estar a sós com Deus, de forma que o coração dele possa entrar em perfeita sintonia com o seu. Como escreveu um santo sábio: "Todo cristão pode e deve ter um tempo realmente a sós com Deus. Ah! Pensar em ter Deus todo só para mim e saber que Deus me tem todo só para Ele!"[9]

3. SONHAR EM SER UMA MULHER SEGUNDO O CORAÇÃO DE DEUS – A motivação é fundamental quando desenvolvemos um coração de devoção, e sonhar ajuda a nos motivar. Como um chamado de despertar para a seriedade da vida cotidiana e para a urgência de andar com Deus, *descreva a mulher que você quer ser espiritualmente ao final de um ano.* Deixe que sua resposta dê asas aos seus sonhos.

Você poderia imaginar que, durante um ano, pode trabalhar numa área de sua vida cristã em que se sinta fraca e obter a vitória? Poderia ler a Bíblia inteira, do princípio ao fim. Poderia estar pronta para o campo missionário. Poderia ser discipulada por uma mulher mais velha – ou discipular uma mais jovem (Tito 2.3-5). Poderia fazer um treinamento para aconselhamento ou evangelismo. Poderia fazer um curso bíblico de um ano. Poderia memorizar determinado número de versículos da Bíblia – você pode estabelecer uma meta. (Depois de sua conversão, Dawson Trotman começou a decorar um versículo por dia, durante os três primeiros anos de sua vida cristã – o que significa mil versículos![10]) Você poderia ler 12 livros cristãos de qualidade. Sonhe – e faça!

Descreva, a seguir, *a mulher que você quer ser espiritualmente daqui a dez anos*. Anote rapidamente sua idade atual aqui na margem do livro e escreva embaixo a idade que você terá daqui a dez anos. Imagine o que poderá acontecer durante esse tempo e você verá que precisará de Deus! Precisará dele para ajudá-la a vencer suas dificuldades em superar áreas de pecado e crescer espiritualmente. Precisará que Ele a ajude a ser esposa... ou solteira... ou que Ele a ajude quando estiver viúva. Precisará de Deus para ajudá-la a ser mãe – independente da idade que seus filhos tiverem naquela época. Precisará de Deus se quiser ser a filha, a nora ou a sogra que você deseja ser. Precisará dele para ajudá-la a servir aos outros com sucesso. Precisará dele quando estiver cuidando de seus pais idosos. Precisará dele quando você mesma estiver envelhecendo. E você precisará de Deus quando morrer.

Você acredita que pode ser essa mulher? Com a graça de Deus, haverá recompensa para seus esforços. Como diz a Bíblia, "Sobre tudo o que [*você*] deve guardar, [guarde o seu] coração, porque dele procedem as fontes da vida" (Provérbios 4.23, ênfase acrescentada). *Você* determina alguns elementos do coração. *Você* decide o que vai ou não fazer, se vai ou não crescer. *Você* decide também o nível que atingirá – a marca – o nível que não alcançará e o nível que atingirá subitamente aqui e ali; o nível diário de cinco minutos ou o nível diário de 30 minutos. *Você* decide se quer ser um cogumelo – que aparece durante a noite e seca ao primeiro sinal de vento ou calor – ou um carvalho, que dura, dura e dura, tornando-se mais forte e mais vigoroso com o passar dos anos. Como meu marido sempre desafia os alunos no curso de Mestrado do Seminário: "Deus o levará até onde *você* quiser ir, tão rápido quanto *você* quiser ir." Quão longe...e quão rápido...*você* quer caminhar na busca de tornar-se a mulher de seus sonhos?

Resposta do coração

Bem, aqui estamos – mulheres segundo o coração de Deus, sonhando em "amá-lo mais, ó Cristo, amá-lo mais"! Aqui estamos, olhando bem no centro do coração de Deus – a Palavra do próprio Deus.

Verdadeiramente, os tesouros da Palavra de Deus são insondáveis (Romanos 11.33). "O conselho do Senhor dura para sempre; os desígnios do seu coração, por todas as gerações" (Salmos 33.11). Por sua Palavra, nascemos de novo (1 Pedro 1.23); por ela, crescemos (1 Pedro 2.2); e por ela andamos pela vida enquanto ela ilumina o caminho para nossos pés (Salmos 119.105). Verdadeiramente, aproximar-se da Palavra de Deus, cada dia, deveria ser de extrema importância para nós! Que alegria descobrirmos que nos satisfaz mais o aproximarmo-nos da sua Palavra do que buscar o alimento para os nossos corpos (Jó 23.12)!

Recortei e guardei o obituário de um compositor que trabalhava em suas músicas pelo menos 600 horas por ano, registrando o progresso de cada dia em um diário.[11] Ele passou a vida inteira em algo bom, mas temporal; algo sem valor eterno. Agora, imagine que tipo de transformação aconteceria em seu coração se você passasse tempo – ou mais tempo – cada dia, aproximando-se de Deus, por meio da sua Palavra, tempo utilizado em algo de valor eterno! Proponha em seu coração gastar mais tempo perto do coração de Deus, utilizando mais tempo com sua Palavra.

3
Um coração comprometido com a oração

Elevo os olhos para os montes: de onde me virá o socorro?

O meu socorro vem do Senhor.

– *Salmos 121.1-2*

Lembro-me muito claramente daquele dia especial. Era o meu décimo aniversário de conversão e um ponto decisivo para mim.

Depois de levar minhas duas filhas para a escola e meu marido Jim para o trabalho, sentei-me à velha escrivaninha da sala íntima, sozinha em casa, apenas com o tique-taque do relógio de parede. Descansando em Deus e me alegrando por aquela primeira década como sua filha, refleti sobre esses últimos dez anos. Embora, às vezes, os dias tenham sido ásperos, a grande misericórdia de Deus, sua sabedoria em toda circunstância e seu cuidado em conduzir-me e sustentar-me eram muito óbvios.

Estremeci diante das recordações de como havia sido a minha vida sem Ele. E então, dominada pelas emoções, e em lágrimas de alegria, ergui meu coração em ações de graças ao Senhor. Ainda com o coração cheio de gratidão, enxuguei os olhos, respirei fundo e orei: "Ó Deus, o que tu sabes estar faltando em minha vida espiritual? O que precisa de atenção neste momento em que inicio uma nova década contigo?" Parecia que Deus estava respondendo imediatamente, trazendo à minha mente uma área de minha vida com grande dificuldade pessoal e fracasso – minha vida de oração!

Oh! eu tinha tentado orar! Mas cada novo esforço durou, no máximo, poucos dias. Eu reservava um tempo para estar com Deus, lia minha Bíblia e abaixava a cabeça apenas para resmungar poucas palavras gerais: "Deus, por favor, abençoe neste dia a minha família e a mim." Certamente Deus quer que a oração seja mais do que isso – mas parecia que eu não conseguia fazê-lo.

Naquele aniversário espiritual, peguei um pequeno livro em branco que minha filha Katherine me havia dado, no Dia das Mães, quatro meses antes. Ele havia ficado intacto sobre a mesa de centro porque eu não sabia o que fazer com ele. Mas, de repente, eu soube exatamente como usá-lo. Cheia de resolução, convicção e desejo, escrevi estas palavras – do fundo do meu coração – na primeira página: "Dedico este pequeno livro à oração e pretendo passar os próximos dez anos (se Deus quiser) desenvolvendo uma vida significante de oração."

Aquelas eram palavras simples, escritas e repetidas, provenientes de um desejo também simples dentro do meu coração. Mas, naquele dia, essas palavras simples e aquele pequeno livro em branco começaram para mim um excitante trecho de minha aventura em seguir o coração de Deus! Meu novo compromisso em orar colocou em movimento uma reforma completa em minha vida – cada parte, pessoa e busca.

Quando decidi aprender mais sobre o assombroso privilégio da oração, esperava um trabalho completamente enfadonho e sem graça. Mas enquanto seguia em meu compromisso, me surpreendia com as bênçãos que começavam a florescer em meu coração. Como nos fala um dos meus hinos favoritos: "Conta as bênçãos, conta quantas são... Uma a uma, dize-as de uma vez, hás de ver, surpreso, quanto Deus já fez." Eu quero contar algumas bênçãos da oração porque elas também podem ser suas, conforme você cultivar um coração de oração.

Bênção nº 1: Uma relação mais profunda com Deus

Embora tivesse ouvido falar que orar aprofundaria minha relação com Deus, eu nunca tinha experimentado isso. Mas, quando comecei a utilizar um tempo em oração regular, diária e tranqüila – quando me demorei em comunhão íntima com Deus, a comunhão mais íntima que podemos ter com Ele – aquela relação mais profunda passou a ser minha! Quando você e eu mantemos íntima comunhão com Deus em oração e experimentamos essa relação profunda, crescemos espiritualmente em muitas direções.

A ORAÇÃO AUMENTA A FÉ – Agora eu sei que isso é verdade. Constatei por mim mesma quando segui um conselho que recebi. Quando alguns pais perguntaram para o Dr. Howard Hendricks, do Seminário Teológico de Dallas, como ensinar a fé aos seus filhos, ele respondeu: "Faça-os manter uma lista de oração." E foi exatamente o que fiz. Como uma criança, fiz uma lista de oração em meu livro e comecei a levar minhas preocupações a Deus, meu Pai, cada dia. Fiquei admirada quando, pela primeira vez, comprovei a maneira como Ele respondeu, pedido por pedido!

A ORAÇÃO PROVÊ UM LUGAR PARA DESCARREGAR NOSSOS FARDOS – Problemas e tristezas são fatos da vida (João 16.33), mas eu não sabia como lidar com essa realidade diante do versículo da Bíblia que ensina que eu lance todas as minhas ansiedades e fardos sobre Deus (1 Pedro 5.7). Assim, munida deste conselho, arregacei as mangas e prossegui no trabalho, deixando minhas preocupações com Deus em oração. Logo se tornou natural iniciar cada dia entregando todas as preocupações da vida a Deus e me levantar aliviada, livre de muitos pesos. A autora e companheira de oração Corrie Ten Boom nos dá uma imagem vívida desse privilégio: "Como um camelo se ajoelha perante seu dono para que ele remova o seu fardo, assim ajoelhe-se e deixe seu Mestre levar o fardo que você tem carregado."[1]

A ORAÇÃO NOS ENSINA QUE DEUS ESTÁ SEMPRE PERTO – Um versículo que eu recitei milhares de vezes durante os muitos tremores que seguiram o terremoto de 1994 em Northridge foi o de Salmos

46.1 – "Deus é o nosso refúgio e fortaleza, *socorro bem presente* nas tribulações" (ênfase adicionada). Deus sempre está perto, mas quanto mais eu orava, mais esta verdade fazia sentido. Comecei a perceber a onipresença de Deus, a realidade de que Ele sempre está perto de seu povo, inclusive perto de você e de mim! Vi que as palavras de Oswald Chambers eram verdade: "O propósito da oração é revelar a presença de Deus, igualmente presente todo o tempo, em qualquer condição."[2] Cultivar um coração de oração é um caminho infalível para experimentar a presença de Deus.

A ORAÇÃO NOS TREINA A NÃO ENTRAR EM PÂNICO – Jesus ensinou aos seus discípulos que devemos sempre orar e nunca esmorecer (Lucas 18.1). Dirigir-me a Deus em toda necessidade durante meu tempo diário de oração fez enraizar-se em mim o hábito de orar, e logo consegui substituir a minha tendência de entrar em pânico ao primeiro sinal de problema pelo poder de Deus – e eu podia ligar essa chave por meio da oração!

A ORAÇÃO MUDA VIDAS – Provavelmente você já ouviu a frase: "A oração muda as coisas." Depois de experimentar uma vida de oração mais regular, acho que é mais coerente dizer: "A oração *nos* muda!" Os alunos do Curso de Mestrado do Seminário onde meu marido é professor sabem muito bem o quanto isso é verdade. Todo aluno é obrigado a cursar uma disciplina sobre a oração, dentro da qual o professor pede que eles orem por uma hora, cada dia, durante o semestre. Seria uma surpresa constatar nas avaliações feitas pelos alunos, a respeito dos três anos que passaram no seminário, que a disciplina sobre oração mudou verdadeiramente as suas vidas?

Bênção nº 2: Maior pureza

Sim, a oração muda as vidas, e uma das principais mudanças é a maior pureza que passa a envolvê-la. Tornar-se puro é um processo de crescimento espiritual, e a confissão séria dos pecados durante o tempo de oração impulsiona esse processo, purificando nossa vida das práticas que desagradam a Deus. Foi o que aconteceu comigo, quando comecei a trabalhar em minha vida de oração.

Para mim, a intriga, o mexerico, era uma luta séria. Embora soubesse que Deus falara especificamente com mulheres sobre a maledicência e a calúnia (1 Timóteo 3.11 e Tito 2.3), eu usava desses meios. Convencida de minha desobediência e consciente de que minha atitude não agradava a Deus, tentei alguns recursos práticos, como colar pequenas notas no telefone ("Isto é verdadeiro, é amável, é útil?") e estabelecer diretrizes para minhas conversas. Além disso, prometi, todos os dias em oração, que não usaria de maledicência. Mas, assim mesmo, caí outra vez na tentação de praticar esse pecado!

A mudança real se deu quando eu não só comecei a orar sobre a maledicência, mas também passei a confessar esse meu pecado, cada vez que eu o praticava. Certo dia, mais ou menos um mês depois que comecei seriamente nesse processo de confissão, eu estava extremamente frustrada. Eu estava tão triste por falhar, por ofender a meu Senhor e por precisar confessar o pecado da maledicência todo dia, que decidi submeter-me a Deus para uma "cirurgia" mais radical (Mateus 5.29-30) e pedi a Ele que cortasse a maledicência, a bisbilhotice, o mexerico da minha vida. Foi o Santo Espírito quem conduziu aquela decisão, guiou aquela "cirurgia" e deu poder àquele processo de purificação. Deixe-me contar rapidamente como isso aconteceu. Tive meus deslizes, mas aquele dia foi decisivo para mim. A purificação – a limpeza de um dos maiores pecados em minha vida (1 João 3.3) – aconteceu, em parte, porque eu enfrentei meu pecado regularmente em oração. Você vê a progressão? O pecado conduziu à confissão, que, por sua vez, conduziu à purificação.

Bênção nº 3: Confiança em tomar decisões

Como você toma decisões? Eu sei como eu costumava decidir – antes de aprender a orar sobre isso. Talvez você possa se identificar com minha experiência. O telefone tocava por volta das nove horas da manhã, e uma mulher me pedia para falar na sua igreja. Como eu tinha acabado de comer um ovo mexido e uma torrada, tinha tomado uma xícara de café, ingerido minha pílula para o tratamento da tiróide e dado um passeio, estava cheia de energia e dizia prontamente: "Claro! Quando você quer que eu vá?" Às 16 horas, o telefone tocava novamente. Outra mulher fazia o mesmo pedido. Mas, como já estava no fim de um longo dia, eu estava exausta, pronta para relaxar, respondia: "De jeito nenhum!" (Falava mais educadamente, mas, no fundo, era isto que eu estava pensando!)

Por que eu respondia de maneira tão diferente? Que critérios usava na escolha dessas atitudes? Em uma palavra: *sentimento, emoção*. Quando estava me sentindo cheia de energia pela manhã, minha resposta era "sim". No fim da tarde, quando estava cansada, minha resposta era "não". Minhas decisões eram baseadas em como me sentia no momento. Não estava tomando decisões espirituais – estava tomando decisões físicas!

Esta maneira de tomar decisões mudou quando comecei a escrever em meu pequeno livro especial todas as decisões que precisariam ser tomadas por mim. Desenvolvi um lema para mim mesma – *Não tome qualquer decisão sem oração.* Qualquer coisa que surgisse, eu pedia tempo para orar primeiro. Quanto mais importante a decisão, mais tempo eu pedia para orar. Se não havia tempo para isso, geralmente eu respondia negativamente, porque queria estar certa de que minhas decisões eram de fato a escolha de Deus para mim. Eu usava este método para tudo – convites para recepções, casamentos, almoços; oportunidades para ministrar; problemas, idéias, crises, necessidades, sonhos. Escrevia cada decisão que precisava tomar e levava cada uma a Deus em oração.

Imagine a diferença que esse método pode fazer na vida de uma mulher! O princípio de *não tomar qualquer decisão sem orar* me impede de agir de forma impensada ou de assumir compromissos antes de consultar a Deus. Isso me poupa de bajular as pessoas (Gálatas 1.10) e evita que eu assuma compromissos e, depois, precise voltar atrás.

Outro benefício de orar primeiro sobre minhas decisões é que a minha tendência de resolver as coisas precipitadamente acabou. Quando as responsabilidades agendadas em meu calendário se aproximam, não sinto nenhum medo ou ressentimento; não me surpreendo: "Como foi que entrei nessa? O que eu estava pensando quando disse que faria isto? Queria não ter dito 'sim'!" Ao contrário, sinto uma sólida confiança – confiança em *Deus* – e a vibrante expectativa de imaginar o que Ele fará nesses acontecimentos.

Como disse e continuarei dizendo, uma mulher segundo o coração de Deus é uma mulher que faz a vontade do Senhor (Atos 13.22) – e não a sua própria vontade! A máxima *não tomar qualquer decisão sem orar* tem-me ajudado a fazer exatamente isso!

Bênção nº 4: Relacionamentos aperfeiçoados

A oração inteligível – especialmente pelas pessoas mais próximas a nós – fortalece nossos laços com esses queridos. Mas ser um seguidor do coração de Deus resulta em melhores relacionamentos com as pessoas em geral. Como isso acontece? Estes princípios da oração – que descobri quando comecei a orar regularmente – ajudam a responder à pergunta.

- *Você não pode pensar em si e nos outros ao mesmo tempo.* – Depois de você e eu levarmos nossas necessidades pessoais a Deus em oração particular, podemos então dirigir toda a nossa atenção para fora – longe de nós mesmas e sobre os outros.

- *Você não pode odiar a pessoa pela qual está orando.* – Jesus nos ensinou a orar pelos nossos inimigos (Mateus 5.44), e Deus transforma nossos corações quando o fazemos.

- *Você não pode negligenciar a pessoa pela qual está orando.* – Conforme nos envolvemos em oração por outras pessoas, nos encontramos a nós mesmas maravilhosamente envolvidas em suas vidas.

O fim do egocentrismo, a dissolução da má vontade, o fim da negligência – estes resultados de orarmos por alguém inevitavelmente melhorarão nossa relação com essas pessoas.

Bênção nº 5: Satisfação

Como esposa de seminarista, durante dez anos, enfrentei reais desafios na área da satisfação. E uma grande fonte de frustração eram as nossas finanças. Enquanto eu morei em uma casa minúscula, com a pintura descascando e o teto da sala de estar com um buraco enorme – e toda a renda de Jim comprometida com os estudos, o aluguel e os mantimentos – Deus cuidou de mim.

Precisei desesperadamente da sua vitória na área dos desejos do meu coração e dos sonhos sobre nossa casa e nossas vidas. E aquelas necessidades me levavam a Ele em oração. Inúmeras vezes, dia após dia, coloquei tudo nas mãos de Deus, deixando que Ele satisfizesse nossas necessidades – e outro princípio da oração surgiu: *Se Ele não dá é porque você não precisa!*

Ao longo dos anos, Deus tem suprido fielmente as muitas necessidades de nossa família. Temos experimentado a realidade da promessa de Deus de que nenhum bem será negado aos que andam corretamente (Salmos 84.11) – e você também pode experimentá-la.

Bênção nº 6: Confiança que vem de Deus

O Dr. James Dobson escreveu: "Acredite ou não, a baixa auto-estima foi indicada como o problema mais preocupante para a maioria das mulheres que participaram da [sua] pesquisa. Mais de 50%... marcaram essa alternativa, acima de todas as outras da lista, e 80% a colocaram entre as cinco primeiras."[3] Essas mulheres (e talvez você seja uma delas) poderiam se beneficiar da extraordinária confiança que vem de Deus, da qual eu comecei a desfrutar enquanto desenvolvia um coração de oração! E essa é melhor que a autoconfiança e a auto-estima!

A confiança que vem de Deus vem com o trabalho do Espírito

Santo em nós. Conforme oramos e fazemos escolhas que honram a Deus, o Espírito Santo nos enche com seu poder. Quando estamos cheios da bondade de Deus, tornamo-nos confiantes e efetivamente capazes de compartilhar seu amor e sua alegria. Como mulheres de coração aberto ao toque transformador do Espírito Santo, encontraremos a sua divina vida em nós transbordando nas vidas dos outros.

Ainda como resultado da prática do princípio de *não tomar qualquer decisão sem orar*, experimentamos a certeza divina em todos os passos que damos. Conforme as atividades sobre as quais oramos e com as quais nos comprometemos se aproximam, podemos desfrutar da certeza de que elas são da vontade de Deus e podemos, então, chegar à sua execução com prazer, preparação e coragem. Podemos servir a Deus verdadeiramente com alegria (Salmos 100.2), sem cara feia! Podemos ter prazer na vontade de Deus (Salmos 40.8), em vez de receá-la.

Bênção nº 7: O ministério da oração

Quando li o livro de Edith Schaeffer, *Common Sense Christian Living,* encontrei um conceito que mudou minha vida – e minha vida de oração! Falando sobre oração, a Sra. Schaeffer destaca o assombroso fato de que a oração faz diferença na história. Ela escreveu: "Interceder por outras pessoas faz diferença na história da vida dessas pessoas."[4] Olhando para a vida do apóstolo Paulo, ela notou que ele sempre pedia que outros orassem por ele, pois esperava "que acontecesse uma mudança... em resposta às orações. Paulo esperava que a história fosse diferente, pois a intercessão [era] levada a sério como uma tarefa importante".[5]

Esta compreensão madura da oração me encorajou de duas maneiras. Primeiro, relutei com a idéia do poder da oração para mudar vidas. Sabia por experiência própria que a oração tinha mudado a minha, mas... as vidas de outros? Aquela idéia era nova para mim. Parecia impossível, mas a Sra. Schaeffer me assegurou que até mesmo eu, uma cristã recém-convertida, poderia ter um papel nos misteriosos caminhos de Deus. Ela me ajudou a acreditar que minhas orações infantis poderiam, de alguma forma, fazer diferença na história!

A segunda revelação foi reconhecer a oração como um ministério, uma realização importante para mim. Na ocasião, eu era mãe de duas filhas pequenas e me sentia como que fora da igreja. Sofria porque não podia assistir a todas as programações e estudos maravilhosos para mulheres, embora soubesse que meu lugar era mesmo em casa. Enfrentar a oração como um ministério acabou com meu sentimento de inutilidade e ineficácia. O livro em branco que Katherine me deu foi fundamental para o começo desse meu ministério. Passei a usá-lo para anotar os nomes dos líderes da igreja, dos missionários que nós conhecíamos e os pedidos compartilhados na Escola Dominical. Senti meu coração como que alçar vôo quando me uni a Deus no vital ministério da oração!

Não há tempo ou espaço para listar as muitas bênçãos que podem ser suas e minhas quando oramos. Compartilhei muito poucas! Mas sei que, quando você se ajoelhar, curvar seu coração perante Deus e começar a cultivar um coração de oração, provará e saberá que Deus é bom (Salmos 34.8)!

Sim, mas como?

Como podemos cultivar um coração de oração e desfrutar das bênçãos que acompanham uma vida comprometida e dedicada a esse ministério? Aqui estão algumas rápidas sugestões:

- Inicie um diário de oração para registrar os pedidos e respostas, enquanto segue em sua própria vida de oração.

- Separe um tempo por dia para estar demoradamente com Deus, em oração, e lembre-se de que *alguma coisa é melhor que nada*. Comece com um pequeno período – e assista ao poderoso efeito desses momentos!

- Ore sempre (Efésios 6.18) e em todos os lugares, desfrutando da presença de Deus onde quer que você vá (Josué 1.9).

- Ore fielmente pelos outros – incluindo seus inimigos (Mateus 5.44)!
- Leve a sério o poderoso privilégio do ministério da oração.

Resposta do coração

Primeiro, o mais importante! Claro que você e eu queremos que nossa relação com Deus seja prioridade em nosso coração. Sei que, como eu, você quer caminhar tão perto de Deus que seu perfume permeie toda a sua vida e revigore todos os que cruzarem o seu caminho. Isto acontece quando você se encontra com Deus em oração, prostrada em alma e de coração humilde.

Então, querida amiga de oração, não importa onde nós estamos – em casa ou em outro país, no carro ou no banho, em uma cadeira de rodas ou no hospital, sentada sozinha ou em uma sala com milhares de pessoas – você e eu podemos estar sintonizadas com Deus pela oração. Nós podemos também elevar aos céus incontáveis pessoas e corajosamente pedir ao nosso Deus onipotente que faça diferença em suas vidas. Oro para que você leve este poderoso privilégio a sério!

Agora pense nisto: Você acha que orar – mesmo que cinco minutos por dia – poderia mudar sua vida? Pode! Permanecer na presença de Deus aumentará sua fé. Providencie um lugar para descarregar seus fardos. Lembre-se que Deus está sempre perto e a ajuda a não entrar em pânico. Esta é uma das formas que Deus providenciou para estarmos em comunhão com Ele. E, quando você aceitar o seu convite para conversar intimamente com Ele, Ele transformará seu coração e sua vida.

4

Um coração que obedece

Achei Davi... homem segundo o meu coração,
que fará toda a minha vontade.
– *Atos 13.22*

Assistir a minhas filhas crescerem e tornarem-se mulheres responsáveis tem sido um constante prazer para mim como mãe. Agora que elas se tornaram adultas e aventuraram-se por conta própria, espero e oro para que eu lhes tenha dado fundamentos suficientes para construir suas vidas – os fundamentos da fé, os fundamentos para serem donas-de-casa e as noções básicas de cozinha. Uma noite, entretanto, não tive tanta certeza de ter conseguido isso!

Durante vários anos, Katherine desfrutou da diversão e companheirismo de dividir um apartamento com várias jovens de nossa igreja. Parte da aventura era cozinhar para todo o grupo nas noites em que era escalada para isso. Mas, quando ela começou a namorar Paul, os dois passavam muito tempo durante as noites em nossa casa, "pendurados" em mim e em Jim. Numa dessas noites, Katherine decidiu desenterrar uma velha receita – favorita da família há um longo tempo – e assar alguns *brownies* [um tipo especial de bolo] para encerrar a noite. Como normalmente não faço *brownies* só para Jim e eu, quase não conseguíamos esperar que o bolo esfriasse o bastante para ser comido com copos altos de leite gelado!

Finalmente, cada um tinha seu pedaço de bolo, enorme e morno, para comer – mas, depois da primeira mordida, vimos que não daríamos a segunda. Alguma coisa estava faltando no doce. Sem querer magoar Katherine, usamos de rodeios, resmungando algo como: "Hummm, está com um gosto diferente..." ou "Hummm, o cheiro está bom..." e "Ah! Kath, obrigado por fazer *brownies* para nós". Finalmente, perguntei se ela teria esquecido alguma coisa. Com todo o entusiasmo do mundo, ela respondeu: "Ah! sim, não coloquei o sal! No apartamento, tenho aprendido a cozinhar sem sal. Sal faz mal."

Aqueles *brownies* tiveram de ser jogados fora porque um único ingrediente faltara – uma pequena colher de chá de sal – que os impediu de ser comidos.

Da mesma maneira que uma receita de bolo exige vários ingredientes para se tornar o que nós pretendemos que ele seja, alguns elementos são fundamentais para que nos tornemos mulheres segundo o coração de Deus. Já falamos sobre devoção a Deus, à sua Palavra e à oração. Outro ingrediente – tão importante quanto o sal em bolos de chocolate – é a obediência. O coração do qual Deus se agrada é submisso, cooperativo e responsivo para com Ele e para com suas ordens. Um coração que obedece.

Dois tipos de coração

O título deste livro – *Uma Mulher Segundo o Coração de Deus* – foi tirado da referência feita por Deus ao rei Davi: "Achei Davi... homem segundo o meu coração, que fará toda a minha vontade" (Atos 13.22).

Falando em nome de Deus, o profeta Samuel reprovou Saul, o rei de Israel, por não obedecer às instruções diretas de Deus (1 Samuel 13). Repetidamente em 1 Samuel, Saul é citado como tendo ultrapassado os limites, limites que Deus fixara para ele.

Em várias ocasiões, ele lhe desobedeceu. Embora tivesse muito cuidado em oferecer a Deus os sacrifícios por Ele ordenados, Saul fracassou por não oferecer ao Senhor o seu principal sacrifício – a obediência de um coração completamente dedicado a Deus (1 Samuel 15.22). Evidentemente, Saul não foi submisso a Deus e às suas leis.

Finalmente, depois de um ato extremamente sério de desobediência, Deus enviou Samuel a Saul com duas mensagens: "Seu reino não subsistirá" e "O Senhor tem buscado para si mesmo um homem segundo seu coração" (1 Samuel 13.14 – citação da New King James Version – tradução livre) . Deus estava dizendo: "Saul, você está acabado como rei. Já agüentei bastante seu coração rebelde e indiferente. Agora achei o homem certo para me servir. Esse homem que vai tomar o seu lugar tem um coração submisso, obediente, é um homem que seguirá todos os meus mandamentos, cumprirá toda a minha vontade."

Aqui nós evidenciamos dois tipos muito diferentes de coração – o coração de Davi e o coração de Saul.

- Em seu coração, Davi estava disposto a obedecer. Saul estava satisfeito com meros atos exteriores de sacrifício.

- Davi serviu a Deus. Saul serviu a si mesmo e fez as coisas ao seu modo.

- Davi estava preocupado em cumprir a vontade de Deus. Saul se importava apenas com sua própria vontade.

- O coração de Davi estava centrado em Deus; o de Saul estava centrado nele mesmo.

- Embora Davi não tivesse obedecido a Deus sempre, ele tinha o que era importante – um coração segundo Deus. Em marcante contraste, a devoção de Saul era impulsiva e esporádica.

- Embora Davi fosse famoso por sua coragem física e por ser um guerreiro, ele era totalmente dependente de Deus, confiando nele e declarando repetidamente reconhecê-lo: "O *Senhor* é a fortaleza da minha vida" (Salmos 27.1, ênfase acrescentada). Saul, por outro lado, era orgulhoso: confiava em suas próprias habilidades, em sua própria sabedoria e julgamento, e em seu braço de carne e osso.

Deus deu a ambos os reis a oportunidade de conduzir Israel, mas, no fim, eles tomaram caminhos muito diferentes – Saul longe de Deus e Davi perto dele. O coração de Saul era indiferente à vontade de Deus; Davi, porém, foi obediente. Eles foram como dois músicos diferentes: um que se senta ao piano e dá uma tocadinha, um pouquinho aqui, um pouquinho ali (Todo mundo sabe tocar o "bife"!), e o outro que se senta ao piano, todas as vezes, por horas, um estudante disciplinado, fiel e dedicado. O primeiro emite sons irregulares, dissonantes, que somem, enquanto o outro aprende, cresce, supera-se e enleva corações e almas enquanto entra em agradável sintonia com o Todo-Poderoso.

A canção de Saul – seu andar com o Senhor – foi impulsiva, transitória e pouco desenvolvida. Mas a canção de Davi, o doce salmista de Israel, oferecia ao Senhor a mais pura das melodias de um devotado amor e de uma confiante obediência. Verdadeiramente, ele era um coração segundo Deus!

Sim, mas como?

Como podemos imitar Davi em nossa devoção a Deus? O que podemos fazer para que Deus desenvolva em nós um coração obediente? Um coração submisso à vontade de Deus é um ingrediente importante quando dedicamos nosso amor a Ele.

Deus nos diz para cuidarmos do nosso coração. Como vimos anteriormente, Deus nos manda guardar "o coração, porque dele procedem as fontes da vida" (Provérbios 4.23). Enquanto caminhamos nesta vida, diz Deus, devemos ponderar o caminho de nossos pés (versículo 26) e olhar para a frente, não para os lados (versículo 25). Em vez de nos voltarmos para a direita e para a esquerda (versículo 27), devemos seguir pelos caminhos que foram estabelecidos por Deus (versículo 26).

A chave, diz Deus, para viver uma vida de obediência – uma vida que permaneça nos seus caminhos – é o coração. Se cuidarmos do nosso coração, se diligentemente cuidarmos dele e o guardarmos, então todos os assuntos, ações, "entradas e saídas" da vida serão tratados à maneira de Deus.[1] Um coração responsivo para com Deus e seus caminhos conduz a uma vida de obediência – e estas diretrizes podem nos ajudar a permanecer no seu caminho.

PREOCUPE-SE EM FAZER O QUE É CERTO – Quando Deus olhou para o coração de Davi, viu o que deseja ver em nós: um coração que faz a sua vontade. Um amor sincero a Deus o vê por meio da sua Palavra e da oração, sempre vigiando e esperando, sempre pronto a fazer tudo o que Ele diz, preparado para agir conforme o que seus desejos expressam. Tal coração – terno e dócil – se preocupará em fazer o que é certo.

Mas o que dizer daquelas situações em que você não tem certeza do que é certo? Em seu coração, você deseja agir corretamente, mas não sabe direito o que deve ou não fazer!

Primeiro, não faça nada até que saiba o que é certo e até que peça orientação a Deus. Passe tempo orando, pensando, buscando direção na Bíblia e pedindo conselho a alguém mais experiente na vida cristã. Se uma pessoa lhe pedir algo em que você não sinta segurança, simplesmente diga: "Primeiro preciso pensar sobre isso; depois conversaremos sobre o assunto." Não faça nada até que saiba qual é a coisa certa.

Considere, também, as seguintes passagens da Bíblia. Nós somos ensinados: "Reconhece-o em todos os teus caminhos, e ele endireitará as tuas veredas" (Provérbios 3.6). Esta é uma promessa. Sabemos também que "Se, porém, algum de vós necessita de sabedoria, peça-a a Deus, que a todos dá liberalmente... e ser-lhe-á concedida" (Tiago 1.5). Esta é outra promessa. Aja também conforme a verdade expressa em Tiago 4.17: "...

aquele que sabe que deve fazer o bem e não o faz nisso está pecando!" Deixe que Deus a conduza em seus caminhos de forma que você se sinta segura de estar fazendo a coisa certa. Final de linha? Quando em dúvida, não faça (Romanos 14.23)!

DEIXE DE FAZER O QUE É ERRADO – Quando pensar ou estiver fazendo qualquer coisa que saiba ser contrária ao coração de Deus, pare imediatamente! (Esta ação é fundamental para treinar seu coração a ser responsivo para com Deus.) É só colocar um freio no que estiver fazendo. Se está envolvida numa intriga, pare. Se está tendo um mau pensamento, pare (Filipenses 4.8). Se houver uma faísca de raiva em seu coração, pare antes de agir. Se usou de alguma palavra dura para com alguém, pare antes que diga outra. Se concordou com algo mas não está em paz sobre aquela decisão, pare. Ou se está em uma situação que acabou se tornando em algo que você não esperava, pare e saia fora!

Todo mundo tem experiências como essas; elas acontecem diariamente. E como você responde revela o que vai dentro do seu coração. Cessar uma atividade ou avaliar o processo antes que o pecado progrida ainda mais dirige seu coração de volta a Deus e a recoloca em seu caminho. Assim, clame a Deus. Ele lhe dará força em qualquer tentação, em qualquer caminho perigoso (Hebreus 2.18).

CONFESSE QUALQUER ERRO – Porque Cristo pagou nossos pecados com seu sangue por meio da sua morte, você e eu somos perdoados. (É possível não nos *sentirmos* perdoados – mas você e eu só precisamos *saber* que o somos.) Mas ainda continuamos pecando. Assim, quando faço algo contrário à Palavra de Deus, reconheço em meu coração: "Isto está errado! Isto é pecado! Eu não posso fazer isto!" Afinal, "Se dissermos que não temos pecado nenhum, a nós mesmos nos enganamos, e a verdade não está em nós" (1 João 1.8). Assim, eu chamo o pecado de "pecado" e, fazendo assim, treino meu coração para ser responsivo para com o Espírito de Deus que me convence do pecado.

Quando você e eu confessamos nossos pecados, Deus "é fiel e justo para nos perdoar os pecados e nos purificar de toda injustiça" (1 João 1.9) – e quanto antes confessarmos, melhor! E, quando você confessar seu pecado, certifique-se de que o esteja também abandonando! Provérbios 28.13 adverte: "O que encobre as suas transgressões jamais prosperará; mas o que as confessa *e* deixa alcançará misericórdia" (ênfase acrescentada). Não seja como aquele fazendeiro que disse: "Quero confessar que roubei um pouco de feno do meu vizinho." Quando o sacerdote perguntou: "Quanto você roubou?", o fazendeiro declarou: "Eu roubei meia carga; mas pode considerar uma carga inteira. Esta noite, eu volto lá para roubar a outra metade!"

ESCLAREÇA AS COISAS COM OS OUTROS – A confissão corrige as coisas com Deus, mas, se ferimos outra pessoa, temos de corrigir as coisas com essa pessoa também.

No tempo próprio, precisamos admitir nosso procedimento injusto diante da pessoa a quem ofendemos – e eu tive de fazer isto na primeira manhã em que cantei no coral da igreja. Uma doce mulher chegou perto de mim, sorriu e perguntou:

– Você é um dos novos *garotos*?

Por qualquer razão, respondi:

– Não, sou uma das *garotas* novas!

Quando acabei de dizer aquelas palavras, senti-me imediatamente culpada. Estávamos ali para cantar, adorar! Eu tinha tropeçado diante de todos aqueles comoventes (e condenadores!) hinos sobre nosso precioso Jesus. Finalmente, voltei à sala do coral e me desculpei. Esperei que a mulher a quem eu havia ofendido chegasse e lhe disse:

– Eu realmente usei minha língua de maneira ferina, não é? Sinto muito por ter respondido à sua atenção com uma resposta tão rude! Por favor, perdoe-me.

PROSSIGA TANTO QUANTO POSSÍVEL – Nosso inimigo Satanás se alegra quando nosso fracasso em obedecer a Deus nos afasta de servi-lo. Você e eu podemos nos entristecer grandemente pelo fato de termos falhado com Deus e, então, permitir que nossas emoções nos façam desistir de segui-lo. Ah! sabemos que somos perdoadas: deixamos determinado comportamento, reconhecemos e confessamos nosso pecado, abandonamos nossos pensamentos ou ações e consertamos a situação. Mas ainda dizemos a nós mesmas: "Não acredito que tenha feito aquilo, que tenha dito aquilo, que tenha pensado aquilo, que tenha agido daquela forma! Como eu pude fazer aquilo? Não sou digna. Estou totalmente fora do padrão para servir a Deus."

Quando este é o caso, precisamos olhar para outra verdade da Palavra de Deus e deixar que ela nos eleve, nos limpe, nos refresque e nos traga de volta ao caminho do Senhor. Sussurrando sua divina direção em nosso ouvido, Deus nos encoraja – a quem confessou sua desobediência e foi perdoado – a proceder como o apóstolo Paulo: "...esquecendo-me das coisas que para trás ficam e avançando para as que diante de mim [nós] estão, prossigo para o alvo, para o prêmio da soberana vocação de Deus em Cristo Jesus" (Filipenses 3.13-14, ênfase acrescentada). Uma vez que tenhamos reconhecido e lidado com aquilo em que falhamos no nosso propósito de seguir a Deus de todo o coração, uma vez que tenhamos corrigido nossos atos de desobediência, você e eu devemos esquecer estas coisas do passado e seguir adiante. Ah! devemos nos lembrar das lições aprendidas e buscar treinar nosso coração para obedecer, atendendo a esta ordem de Deus para seguirmos adiante!

Resposta do coração

Agora, querida seguidora de Cristo, chegamos ao final da primeira parte do livro, e o que aprendemos sobre nosso coração ajudará a nos manter determinadas a seguir o caminho que Deus nos propõe, descrito nos capítulos seguintes.

Nas próximas páginas, examinaremos outros aspectos de nossa agitada e complicada vida diária. Mas, antes de continuarmos nossa observação sobre nosso relacionamento com Deus, você e eu precisamos dar uma séria olhada em nosso próprio coração.

A obediência é uma pedra fundamental no caminho da vontade de Deus – o caminho que você estará seguindo como uma mulher segundo o coração dele. Seguramente, estar bem fundamentada neste ponto a preparará para responder ao que Deus tem a lhe dizer depois. Assim, agora mesmo, avalie se o seu coração está totalmente nas mãos de Deus. Você se rendeu à Sua vontade e colocou-se aos pés da cruz de seu Filho Jesus? Quando Deus olha para o seu coração, encontra ali, claramente, a vontade de lhe obedecer?

Nos dias de Saul, Deus declarou que estava procurando um coração que lhe fosse obediente, que fizesse toda a sua vontade. Essas palavras descrevem o seu coração? O desejo de Deus é o seu desejo? O seu coração segue firmemente a Deus (Salmos 63.8)? Você tem buscado estar perto dele, aos seus pés, literalmente agarrada a Ele?[2]

Você pode identificar em sua vida algum comportamento que necessite confissão de sua parte, uma mudança de atitude, no caminho da obediência? Se sim, pare agora mesmo, reconheça sua desobediência, confesse esse pecado, escolha abandonar esse comportamento e, então, volte para o caminho de Deus, cheio de beleza, paz e alegria.

À medida que você deseja tudo o que Deus deseja, ama tudo o que Ele ama e se humilha debaixo da sua poderosa mão (1 Pedro 5.6), seu coração realmente se torna um coração segundo o coração de Deus.

Que pensamento abençoado!

Parte 2

A BUSCA DAS PRIORIDADES DE DEUS

5
Um coração que serve

...far-lhe-ei uma auxiliadora...

– *Gênesis 2.18*

Era um dia brilhante de outono na Universidade de Oklahoma. Enquanto corria para minha primeira aula depois do almoço, eu o vi novamente. Ele estava sorrindo quando apareceu no meu caminho. Todas as segundas, quartas e sextas-feiras, parecia que nossos caminhos se cruzavam quando ele também corria para a aula. Seu nome: Jim George. Eu ainda não o conhecia, mas parecia extremamente agradável; ele era atraente, e gostei muito de seu sorriso! Bem, evidentemente, ele também me notou, porque logo um amigo que tínhamos em comum marcou um encontro entre nós.

Isso foi em novembro de 1964. No Dia dos Namorados, estávamos noivos, e nosso casamento aconteceu no primeiro final de semana em que não tínhamos aula – 1º de junho de 1965. Isso foi há 31 anos – e gostaria de poder dizer: "Isso foi há 31 felizes e maravilhosos anos." Mas não posso. Veja só! Jim e eu começamos nosso casamento sem Deus, o que significou tempos difíceis. Desde o princípio, brigávamos, discutíamos e nos humilhávamos mutuamente. Por não encontrarmos satisfação em nosso casamento, desperdiçávamos nossas vidas com brigas, amigos, *hobbies* e atividades intelectuais. Ter duas filhas também não preenchia o vazio que cada um de nós sentia. Nosso casamento seguiu monótono por oito anos, até que, pela graça de Deus, nos tornamos uma família cristã, uma família centrada em Jesus Cristo como o cabeça, uma família com a Bíblia para nos guiar.

Entregar nossas vidas a Jesus Cristo fez uma enorme diferença em nossos corações. Mas como mudaria nosso casamento? Ambos tínhamos recebido uma vida nova em Cristo. Mas o que poderíamos fazer acerca da tensão em nosso casamento e, conseqüentemente, em nosso lar?

Tive muito a aprender sobre ser uma mulher, uma esposa e uma mãe que agrada a Deus. E graças a Ele – assim que aceitei Jesus como meu Senhor e Salvador – tive em minhas mãos um calendário de leituras bíblicas, para ajudar-me a ler a Bíblia do princípio ao fim. No dia 1º de janeiro de 1974, comecei a seguir aquele calendário e, enquanto lia, fiz algo que recomendo que você também faça: marquei todas as passagens que falavam comigo, como mulher, com uma caneta marca-texto de tinta cor-de-rosa.

Bem, Deus trabalhou na minha transformação naquele mesmo dia. No dia 1º de janeiro, meu primeiro dia de leitura, encontrei o primeiro aspecto da minha tarefa como uma esposa cristã: eu deveria servir a Jim. Marquei estas palavras com a caneta: "Não é bom que o homem esteja só: far-lhe-ei uma auxiliadora que lhe seja idônea" (Gênesis 2.18).

Chamada para servir

Uma mulher segundo o coração de Deus é uma mulher que cultiva um espírito de serva, independente de estar ou não casada. Seguir os passos de Jesus, "que não veio para ser servido, mas para servir" (Mateus 20.28), chama, durante toda a vida, a atenção para a atitude de coração de servir – e essa atitude e serviço começam em casa, com sua família, especificamente com seu marido, se você é casada. Deus projetou a esposa para ser a ajudante do marido. Assim, o primeiro passo em minha viagem de milhares de quilômetros para tornar-me uma esposa santa era começar a entender que *eu fui designada por Deus para ajudar meu marido.*

E o que significa esta "auxiliadora" de Gênesis 2.18? Tomando emprestado de Jim alguns livros de estudo bíblico, aprendi que uma auxiliadora é alguém que compartilha das responsabilidades do homem, responde à sua natureza com compreensão e amor e coopera de todo o coração com ele no exercício do plano de Deus.[1] Anne Ortlund fala sobre formar um time com seu marido, salientando que integrar um time elimina qualquer senso de competição entre os cônjuges. Escrevendo sobre esta parceria do casamento, ela descreve a esposa firmemente posicionada atrás dele e apoiando seu marido. Ela diz: "Não tenho nenhuma vontade de correr paralelamente a Ray, correr para competir. Eu quero estar atrás dele, encorajando-o."[2]

Posso dizer honestamente que me tornei uma esposa melhor – e uma cristã melhor – quando me tornei uma auxiliadora melhor. Perceber que *tenho o compromisso com Deus de ajudar meu marido* abriu meus olhos. De acordo com o plano de Deus, eu não devo competir com Jim. Ao contrário, devo estar solidamente atrás dele e servir-lhe de apoio. Ele é quem deve vencer, e eu devo ajudá-lo para que essa vitória se torne possível.

Ler sobre Mamie Eisenhower, a esposa do presidente Dwight D. Eisenhower, deu-me nova compreensão do que é ser uma auxiliadora. Julie Nixon Eisenhower explicou: "Mamie via seu papel como um apoio emocional ao seu marido... Ela não tinha interesse em se promover. Mais que tudo, ela era a grande mulher atrás do grande homem, a mulher que orgulhosamente declarou: 'Ike foi minha carreira'."[3]

Enquanto Deus imprimia em meu coração a importância de um espírito de serva, especialmente em meu papel como auxiliadora de meu marido, escrevi uma oração de compromisso. Ao fazer isso, parei para me assegurar de que, em meu próprio coração, Jim estava realmente na frente e eu estava definitivamente atrás dele para ajudá-lo. Naquele dia – e naquela oração a Deus –

iniciei uma vida de serviço a Jim, que se tem estendido por mais de duas décadas. Ah! tenho muitas coisas para fazer, mas meu principal propósito e papel, cada dia, é ajudar Jim, compartilhar de suas responsabilidades, responder à sua natureza e cooperar de todo o coração com ele no plano de Deus para nossa vida conjunta.

Esse espírito de serva me ajuda a ser mais como Cristo, estimando os outros – especialmente meu marido – como melhores que eu mesma (Filipenses 2.3) e empenhando-me em servir.

Sim, mas como?

Como podemos desenvolver um coração comprometido com o serviço, um coração que pretenda imitar Cristo na ajuda a outras pessoas? O que uma esposa pode fazer para que Deus desenvolva nela um coração empenhado em ajudar seu marido? Considere estas sugestões.

COMPROMETA-SE A AJUDAR SEU MARIDO – Você vai ou não se tornar uma auxiliadora? Vai ou não seguir o plano de Deus de ajudar seu marido? Vai ou não fazer de seu marido a sua carreira? A decisão é sua. E, quando se decidir, poderá escrever sua própria oração de comprometimento com Deus. Deixe que suas palavras reflitam sua decisão de ajudar seu marido, de integrar um time com ele e fazer da sua ajuda a sua carreira.

Uma mulher segundo o coração de Deus cumpriu o seu compromisso de ajudar o marido, primeiro, começando uma vida nova. Ela escreveu: "Percebi que precisava pedir perdão a Deus e a meu marido. Precisava também começar a aplicar a Palavra de Deus em nosso casamento." Com aquela percepção, ela começou a criar um coração comprometido com o serviço.

CONCENTRE-SE EM SEU MARIDO – Deus quer que nós, esposas, concentremos nossas energias e esforços em nossos maridos – nas *suas* tarefas, nas metas fixadas por eles, nas *suas* responsabilidades. Sei que esta pode ser uma área de luta porque nossa natureza pecaminosa grita: "Eu, primeiro!" Mas Deus quer que digamos a nosso marido: "Você, primeiro!" Então, de vez em quando, verifique dentro de você mesma como está seu casamento: "Quem vem primeiro?"

Um modo prático que tenho de ajudar Jim, concentrando minha atenção nele e em suas responsabilidades, é fazer diariamente duas perguntas: "O que posso fazer por você hoje?" e "O que posso fazer para ajudá-lo a aproveitar melhor seu tempo hoje?" Você pode ficar preocupada (como eu ficava, no começo) com as coisas importantes e demoradas que poderia fazer por seu marido. Mas preciso contar-lhe que na primeira vez em que fiz essa pergunta a Jim, tudo o que ele queria era um botão pregado em seu casaco esporte favorito! Só! E não era problema nenhum para mim colocar linha na agulha e fazer de Jim meu número um, minha prioridade humana, pregando um pequeno botão.

Entretanto, às vezes, os pedidos são maiores, e esta última semana foi de "grandes" pedidos, pois Jim se preparava para ir à Alemanha por cinco meses com a unidade da Reserva do Exército que integra. Os dias foram cheios de exercício, corridas ao banco para levar testamento, certidões de nascimento e casamento, visita ao dentista, tipo sangüíneo, registros de hipoteca, passaportes e programas para o correio eletrônico, além de arrumar a casa e organizar seu trabalho antes que ele deixasse o país – e tudo isso com o prazo final do livro que eu preparava se aproximando rapidamente!

Mas mesmo quando não gosto das respostas de Jim às minhas duas perguntas (suas respostas podem mudar o rumo do meu dia inteiro!), quero que Jim seja minha mais alta prioridade humana e que ele saiba disso. Afinal de contas, este é o meu compromisso com Deus – facilitar a vida de meu marido, ajudando-o.

Mesmo que não haja nenhum marido em sua vida hoje, você pode desenvolver um coração de serviço como o de Cristo, envidando seus esforços no sentido de ajudar e servir a outras pessoas. Independente de você ser casada ou não, servir às pessoas em sua vida agrada a Deus e mostra Cristo ao mundo.

PERGUNTE SOBRE SUAS AÇÕES: ISTO AJUDA OU ATRAPALHA MEU MARIDO? – Deixe-me dar um exemplo simples. O chefe de seu marido pede que ele faça uma viagem de negócios, e você se mostra desagradada e passa a aborrecê-lo porque ele precisa ir. Isto ajuda ou atrapalha seu marido? Esta pergunta simples pode ser uma boa lente pela qual olhamos como agimos em nosso casamento.

Uma de minhas heroínas é Ruth Graham, esposa do evangelista Billy Graham. Quando meu marido tornou-se aluno de tempo integral no Seminário *e* passou a fazer parte do grupo de líderes de tempo integral na igreja *e* viajou intensamente com nosso pastor de missões, li todos os livros que pude encontrar sobre a Sra. Graham. Como seu marido famoso ficava fora de casa quase dez meses por ano, aprendi muito com ela sobre estar só. Ouça esta sábia declaração: "Temos de aprender a fazer o mínimo com tudo aquilo que vai e o máximo com tudo aquilo que vem."[4] Estas palavras de encorajamento de uma companheira auxiliadora fizeram de mim uma ajudante melhor para Jim, quando ele se prepara para cada viagem (incluindo os seus cinco meses na Alemanha!), e diminuíram meu desejo de demonstrar desagrado e aborrecê-lo com isso.

Deixe-me dar-lhe outro exemplo. Seu marido lhe falou sobre as condições do orçamento, mas você deseja comprar alguma coisa agora e está insistindo para conseguir. Conheço esta situação por experiência própria. Nós moramos em uma casa (aquela com a pintura descascando e o teto cedendo!) por mais de uma década e, finalmente, estava na hora de fazer alguma reforma. Eu estava decidida! Para mim, uma lareira era a coisa que estava faltando em nossa charmosa e pequena casa em todos esses anos. E esta era a nossa oportunidade para instalar uma. Mas Jim sentou-se e me mostrou claramente que não tínhamos dinheiro suficiente para uma lareira. Mas, ah! Como eu queria aquela lareira! Então eu disse coisas como: "Hoje não está uma noite maravilhosa para acender uma lareira?" e "Imagine! Se nós tivéssemos uma lareira, poderíamos acendê-la e jantar em frente a um fogo quentinho!" Mas, então, ele perguntou: "Liz, você está ajudando ou atrapalhando?", e eu sabia a resposta imediatamente (e você também sabe)! Um dia Deus me ajudou a perceber que estava murmurando e me comprometi com Deus a não falar mais sobre a lareira com Jim. Escrevi este compromisso com o Senhor em uma oração e, graças a Ele, nunca mais falei sobre a lareira!

Outro exemplo: Seu marido acha que vocês deveriam mudar-se, para que ele pudesse trabalhar melhor para o sustento da família; mas você não quer se mudar ou diz com firmeza: "Para lá, não!" Como pastor, meu marido aconselhou um casal nessa situação. O marido era um motorista de caminhão que queria mudar de profissão por causa do desgaste que sua atividade trazia para o casamento (foi esta a razão pela qual foram se aconselhar, a princípio). Finalmente, uma grande oportunidade de trabalho surgiu para ele, a meio estado de distância, onde eles poderiam comprar uma casa e começar sua família. Entretanto, Sharon não queria mudar-se. Ela gostava muito de seu emprego e estava muito perto de uma promoção significativa. Mas perceber o plano de Deus para que ela ajudasse seu marido – que estava se esforçando ao máximo para suprir *financeiramente* (por meio de um emprego melhor) e *espiritualmente* (por meio de uma situação melhor) seu casamento – a habilitou a ajudar, e não atrapalhar, a liderança dele. Eles fizeram a mudança. E que abundância de bênçãos Deus tinha separado para este precioso casal em sua nova cidade!

Mais um exemplo: Seu marido quer ter um tempo diário para vocês lerem a Bíblia juntos, em família, mas você não quer, ou não quer estudar o tema que ele escolheu, ou você nunca consegue acordar cedo o suficiente para aprontar o café da manhã em tempo de terem o momento de devoção familiar. Na maioria das famílias, a esposa é normalmente a responsável pelo horário da casa pela manhã. E porque ela controla o horário, tem a habilidade de fazer o tempo de adoração familiar acontecer – ou não acontecer. Se o seu coração está comprometido com o servir, ela tem o poder de ajudar seu marido a alcançar esse objetivo e outro qualquer.

Seu coração está comprometido com o servir, especificamente com o servir a seu marido?

Resposta do coração

Ajudar. É uma tarefa simples e nobre – e produz ricas recompensas! Viver esta tarefa que Deus nos dá certamente beneficia nosso marido e qualquer outra pessoa a quem servimos, e também nos ensina a servir como o próprio Cristo fez. Ser uma serva é um sinal de maturidade cristã; é a verdadeira marca de Cristo (Filipenses 2.7), que serviu a ponto de morrer (Mateus 20.28).

Então, como você se classifica como auxiliadora? Em seu casamento, se vê como integrante de um time, livre de qualquer ação, pensamento ou desejo competitivo? Seu marido é a sua principal carreira? Ajudar seu marido é a principal preocupação de seu coração e o destino maior de sua energia? Você já se comprometeu a levar sua vida e seu coração a seguirem o plano de Deus para você, o plano de ajudar, e não de atrapalhar, seu marido? Conforme você e eu promovemos o bem-estar de nosso marido – e de outras pessoas que Deus colocou em nossa vida – nosso serviço glorifica a Deus!

6

Um coração que se submete

As mulheres sejam submissas ao seu próprio marido.
– *Efésios 5.22*

Seguindo pela estrada, a caminho de me tornar a auxiliadora de meu marido, continuei lendo a Bíblia. Assim, descobri mais coisas no meu papel de esposa e encontrei outras qualidades que precisava desenvolver, se quisesse ser o tipo de esposa que Deus queria que eu fosse. Na verdade, o número de vezes que usei minha caneta marca-texto mostrou que eu tinha muito trabalho a fazer. A próxima grande observação foi descobrir que *eu fui designada por Deus para me submeter ao meu marido.*

Como uma nova cristã, achei o conceito de submissão estranho e precisei pesquisar sobre o assunto. Ao fazer a pesquisa, aprendi que, na Bíblia, "submissão" (*hupotasso*) é, primariamente, um termo militar que significa posição de pessoas sob outras. Esta atitude de coração é vivida por meio da sujeição e da obediência,[1] deixando coisas ao julgamento de outra pessoa e rendendo-se à opinião ou autoridade de outrem.[2]

Como disse, o conceito me parecia estranho, e eu senti meu coração hesitante. Continuei, porém, estudando (e orando para ser uma mulher – e uma esposa – segundo o coração de Deus), e alguns pensamentos da Bíblia me ajudaram a entender essa atitude de submissão que Deus deseja nas mulheres cristãs.

O fato da submissão

Primeiro, o fato é que o estilo de vida cristã – tanto para homens como para mulheres – é de submissão. Você e eu somos chamados para sermos submissos uns aos outros, "sujeitando-vos uns aos outros no temor de Cristo" (Efésios 5.21). O desejo de Deus para nós – casadas ou solteiras, jovens ou idosas – é honrar, servir e nos sujeitarmos aos outros. Refletimos o caráter de Cristo quando deixamos o egoísmo e agimos honrando outras pessoas, submetendo-nos a elas. O coração do povo de Deus, de mulheres de Deus, da igreja de Deus, deve ser um coração desejoso de se submeter, de se dedicar e honrar aos outros.

Quando estabeleceu o casamento, Deus planejou que o marido liderasse e a esposa o seguisse. Para que o casamento flua sem dificuldade, disse Deus: "Quero, entretanto, que saibais ser Cristo o cabeça de todo homem, e o homem, o cabeça da mulher, e Deus, o cabeça de Cristo" (1 Coríntios 11.3).

Agora, não se assuste. A liderança do marido não significa que nós, as esposas, não podemos contribuir sabiamente (Provérbios 31.26) ou participar durante o processo de decisão. Mas a liderança do marido significa que ele é o responsável pela decisão final. A autora Elisabeth Elliot descreve a liderança de seu pai em sua infância: "Ser o 'cabeça da casa' não significava que nosso pai ficava dando ordens, abusando de sua autoridade e exigindo a submissão de sua esposa. Simplesmente, significava que ele era o responsável final."[3]

No fim, o marido prestará contas a Deus de suas decisões como líder, e nós prestaremos contas de como nos submetemos à sua liderança. Nosso marido responde por conduzir, e nós por seguir. Agora, eu lhe pergunto, que responsabilidade você prefere?!

A instrução divina de que o homem dirige e a mulher segue

resulta em *beleza* e ordem. Eu me lembro de ver, quando criança, a "cabeça" empalhada de uma cabra em um museu – só que tinha duas cabeças! Era anormal, grotesco, extravagante, curioso. Assim é um casamento com duas cabeças! Mas Deus, o Artista perfeito, projetou o casamento para ser bonito, natural e funcional, dando a ele uma única cabeça, o marido.

Obrigada, Senhor, porque o casamento é tua obra de arte!

A decisão de se submeter

Outra passagem que grifei de cor-de-rosa mostrou-me que *eu* sou responsável por me submeter ou não. Ela dizia: "As mulheres sejam submissas [ou sujeitas] ao seu próprio marido, como ao Senhor" (Efésios 5.22).[4]

Submissão é uma escolha da esposa. Ela decide se vai ou não se sujeitar ao seu marido. Ninguém pode fazer isso por ela ou obrigá-la a fazê-lo. Seu marido não pode torná-la submissa, sua igreja não pode torná-la submissa, seu pastor não pode torná-la submissa, nem um conselheiro o pode. Ela é quem tem de decidir ser submissa ao seu marido.

Perdi o fôlego – e cresci como uma esposa cristã – quando li sobre quatro mulheres, como você e eu, que se encontravam semanalmente para estudar a Bíblia. Certo dia, se depararam com 1 Coríntios 11.3, um versículo sobre a liderança do marido no casamento. Este é o versículo que há pouco comentamos e que nos diz: "Quero, entretanto, que saibais ser Cristo o cabeça de todo homem, e o homem, o cabeça da mulher, e Deus, o cabeça de Cristo." Estar frente a frente com o plano de Deus fez com que elas tomassem algumas decisões.

> A líder para aquela noite leu [o versículo] em voz alta, pausadamente, e leu novamente... Todas aquelas mulheres – e todas elas sabiam disso – eram o cabeça em seus casamentos...
>
> Alguém disse francamente:
>
> – Por acaso, Paulo diz alguma outra coisa a respeito (de liderança e de submissão)?

Elas consultaram uma concordância bíblica, e as outras declarações de Paulo (Cl 3.18; Ef 5.22; 1 Tm 2.11s) foram lidas em voz alta. Houve alguma discussão. Finalmente, a líder disse:

– Bem, garotas – o que vamos fazer?

Alguém disse:

– Temos de fazer isto...

Então o milagre aconteceu. Em menos de um ano, as quatro mulheres, com assombro e encanto, estavam contando umas às outras e a todas as mulheres que conheciam o que tinha acontecido. Os maridos, os quatro, tinham assumido silenciosamente... e, sem exceção, todas aquelas mulheres sentiam que seu casamento tinha ganho uma nova dimensão de felicidade – uma alegria – que nunca tinham experimentado. *A retidão*.

Vendo essas coisas surpreendentes que nenhuma delas achava que fosse possível... as quatro esposas compreenderam uma verdade maravilhosa: seus maridos nunca tinham exigido e nunca exigiriam a liderança; isso só poderia ser um presente gratuito da esposa para o marido.[5]

Você está dando o presente da liderança ao seu marido pela atitude de um coração submisso? Está experimentando a retidão que vem da decisão de seguir o plano de Deus para o casamento?

O "quem" da submissão

O "quem" da submissão está claro em Efésios 5.22 – "As mulheres sejam submissas *ao seu próprio marido*" [ênfase acrescentada], não a outras pessoas que admiramos e respeitamos. E esta é uma importante distinção.

Uma mulher cristã, casada com um homem que não é cristão, veio a mim para se aconselhar. Sue queria deixar o seu trabalho e matricular-se em uma faculdade de teologia por quatro anos, com o propósito de se preparar para fazer o trabalho cristão em tempo integral. Depois que ela me contou sobre os desejos de seu coração, perguntei-lhe:

– Bem, Sue, o que seu marido diz sobre isso?

Ela respondeu rapidamente:

– Ah! ele não quer.

– Porque, Sue – exclamei –, Deus falou! Você vê, o plano de Deus para o casamento é que cada esposa honre e se submeta ao seu marido.

Quando Sue falou com seu pastor e com seu chefe, um cristão, sobre seu desejo de fazer aquele curso, eles lhe disseram que ela prosseguisse em seus planos. E ela estava pronta a seguir a orientação deles. Mas a Bíblia é clara: Devemos nos submeter a nossos próprios maridos – não ao líder da igreja, a outras pessoas que respeitamos, nem mesmo a nosso pai.

Às vezes somos tentadas a fugir do plano de Deus, dizendo: "Meu marido não tem andado com Deus, então eu não tenho de me submeter a ele" ou "Meu marido não é cristão, então eu não tenho de me submeter a ele." O apóstolo Pedro escreveu as seguintes palavras para ajudar mulheres nesta exata situação, mulheres com maridos não-cristãos e/ou desobedientes: "Mulheres, sede vós, igualmente, submissas a vosso próprio marido, para que, se ele ainda não obedece à palavra, seja ganho, sem palavra alguma, por meio do procedimento de sua esposa" (1 Pedro 3.1). Em outras palavras, nossa submissão ao nosso marido – quer seja ele cristão ou não, quer esteja ele obedecendo ou não a Deus – prega o mais amoroso e o mais poderoso sermão que nossa boca poderia pregar!

É importante mencionar aqui a única circunstância em que você deve fugir da orientação de seu marido: ele pedir que você viole algum ensinamento da Palavra de Deus. Se ele lhe pedir que faça alguma coisa ilegal ou imoral, procure um pastor de sua confiança e siga as instruções que receber dele.

O "como" da submissão

Além de esclarecer "a quem", Efésios 5.22 nos dá também o "como" da submissão: "As mulheres sejam submissas [ou sujeitas] ao seu próprio marido, *como ao Senhor*" (ênfase acrescentada).

Assim que parei de pensar em me submeter a Jim e comecei a pensar em me submeter a Deus, minha luta lentamente começou a enfraquecer. Mentalmente, coloquei Jim de lado e passei a olhar totalmente para a face do Senhor. De repente, o "como" da submissão tornou-se muito mais simples – e mais fácil! Minha submissão não tinha nada a ver com Jim e tudo a ver com o Senhor. Como diz um conhecido versículo: "Tudo quanto fizerdes [incluindo submeter-me ao meu marido!], fazei-o de todo o coração, *como para o Senhor* e não para homens" (Colossenses 3.23, ênfase acrescentada). Que bênção aplicar esta passagem, para honrar, submeter-me e seguir a Jim!

A extensão da submissão

Mas qual é a extensão da submissão ao nosso marido? Em que problemas, decisões e situações devemos nos submeter a ele?

Em uma palavra: todas! "As mulheres sejam em *tudo* submissas ao seu marido" (Efésios 5.24, ênfase acrescentada). A Bíblia é clara: "em tudo"! Assim, sempre que sou tentada a dizer "Sim, mas..." ou "Mas, e se...", tento me lembrar dessas duas pequenas palavras: "em tudo". Elas se referem a grandes e pequenos assuntos. Caso encerrado!...

Após os grandes tremores do terremoto de 1994 aqui na Califórnia, Jim e eu fomos comprar lâmpadas para substituir as que se tinham quebrado. Ficamos contentes em achar uma luminária de mesa de vidro. Mas, quando a levamos para casa e abri a caixa, meu coração murchou ao ver as cores pálidas e desbotadas. O verde e o rosa em tom pastel nunca ficariam bem em nossa biblioteca verde-floresta. Mas Jim olhou, achou que estava tudo bem e disse que não havia razão para levar de volta. Não foi fácil, mas eu não disse nada, considerando que aquela era uma oportunidade para me submeter ao meu marido... como ao Senhor... em tudo... e sem nenhuma palavra.

Certamente, uma luminária é uma coisa pequena, mas tais coisas pequenas são um bom começo para nos submetermos "em tudo". Chegaremos a coisas maiores depois, mas nesse momento peça a Deus que lhe dê a graça de se submeter quando a próxima pequena coisa aparecer em seu caminho.

A força para se submeter

Você sabe qual é a principal razão pela qual nós, as esposas, não nos submetemos a nosso marido? Deus diz que é o *medo*. Temos medo do que acontecerá se nosso marido fizer as coisas do jeito dele e não do nosso.

Claramente, sob a chamada de Deus para nos submetermos, está uma chamada muito mais profunda, mais fundamental, para vivermos uma vida de fé nele. "Pois foi assim também que a si mesmas se ataviaram, outrora, *as santas mulheres*" da Bíblia, "*que esperavam em Deus*, estando submissas a seu próprio marido", e nós podemos seguir seus passos "praticando o bem e *não temendo perturbação alguma*" (1 Pedro 3.5-6, ênfase acrescentada).

Fé é o oposto de medo (Marcos 4.40), mas o que a fé tem a ver com a submissão? É pela fé que você e eu acreditamos que Deus trabalha diretamente em nossa vida por intermédio de nosso marido. É pela fé em nosso Deus soberano que nos submetemos, confiando que Ele conhece as decisões do nosso marido e seus resultados finais, e confiando que Ele redime, se não guia, essas decisões. Assim, é pela fé que nosso medo é dissipado e ganhamos a força necessária para nos submetermos.

Enquanto você aprende mais sobre submeter-se a seu marido, por que não pede a Deus, como fizeram os discípulos, que aumente sua fé (Lucas 17.5)? A fé em Deus nos dá força para obedecer e nos submeter ao nosso marido.

O motivo para a submissão

Talvez a passagem bíblica que atingiu mais profundamente o meu coração na chamada de Deus para a submissão tenha sido esta: "... a fim de instruírem as jovens recém-casadas a amarem ao marido e a seus filhos, a serem sensatas, honestas, boas donas de casa, bondosas, sujeitas ao marido, *para que a palavra de Deus não seja difamada*" (Tito 2.4-5, ênfase acrescentada). Enquanto pensava sobre estes versículos, a idéia de submeter-me a meu marido de repente elevou-me ao plano celestial, acima de todas as minhas desculpas terrenas, insignificantes, egoístas e carnais para não querer submeter-me a Jim.

Mais uma vez, ficou claro que minha submissão não tinha nada a ver com Jim, mas sim com Deus! Deus instituiu a submissão, a submissão comandada, e me deu a fé nele para que eu possa me submeter – e Ele é honrado quando eu o faço! Minha obediência ao meu marido testemunha a todos os que nos estão observando que a Palavra de Deus e o seu método são retos. Esta chamada à submissão é realmente uma chamada elevada!

Sim, mas como?

Como uma esposa se submete ao marido? Aqui estão alguns passos dados por mim:

DEDIQUE SEU CORAÇÃO A HONRAR SEU MARIDO – Mudança requer decisão, principalmente no caso da submissão. Você e eu temos de decidir nos submeter ao nosso marido, empenhar nossa mente na prática da submissão e, dessa maneira, dedicar nosso coração a honrar a Deus e ao nosso marido.

LEMBRE-SE DE RESPEITAR – A submissão flui da atitude básica de um coração que respeita. Deus diz: "... a esposa respeite ao marido" (Efésios 5.33). Deus não está dizendo para *sentirmos* respeito, mas para *mostrarmos* respeito, para agirmos com respeito. Uma boa maneira de medirmos nosso respeito é responder à pergunta: *Estou tratando meu marido como trataria o próprio Cristo?*

Você revela seu respeito por seu marido em pequenas coisas do dia-a-dia. Por exemplo, você pede a seu marido que faça alguma coisa – ou você manda? Você pára, olha para ele e o ouve quando ele está falando? Você fala sobre ele com respeito?

RESPONDA POSITIVAMENTE ÀS PALAVRAS E ATITUDES DE SEU MARIDO – Ah! a submissão foi penosa para mim! Eu era uma estudante nos anos 60, uma década de protesto contra toda autoridade; e fiz parte do movimento de liberação das mulheres nos anos 70. Assim, quando me converti, tive muito que aprender de Deus e das mulheres adoráveis que eu conheci em minha igreja.

Contudo, velhas maneiras dificilmente desaparecem. Eu resistia, esbravejava, batia o pé e brigava com Jim por tudo – sobre em que pista ele deveria dirigir, se devíamos ou não comprar "sonhos" a caminho da igreja no domingo pela manhã, sobre seu método de disciplinar as crianças que era diferente do meu, sobre a maneira como ele deveria lidar com seu ministério. Sem parar, sempre brigando. Eu sabia o que a Bíblia dizia (e até decorei as passagens que temos considerado!), mas ainda não conseguia me submeter. Para mim, a inovação veio com o desenvolvimento de uma atitude positiva. Treinei – sim, treinei – para responder positivamente a qualquer coisa que meu marido dissesse ou fizesse. E o treinamento foi um processo de duas fases.

Fase um: Não diga nada! – Você já esteve com uma mulher que não respeita o marido? Ela o importuna, o atormenta e discorda dele em público ("Não, Harry, não foi há oito anos; foi há sete anos.") Ou ela corta a sua palavra, o interrompe ou, pior ainda, termina as frases para ele.

Certamente, não dizer nada é uma grande melhoria de comportamento. É um passo gigantesco no caminho para a submissão! Tudo o que temos de fazer para dar uma resposta positiva é manter nossa boca fechada e não dizer nada! Demorou algum tempo, mas percebi finalmente que minha boca não tinha de estar sempre se movendo. Não tenho de estar sempre expressando minhas opiniões – especialmente depois que a decisão já foi tomada por Jim. Por que falar coisas de que vou me arrepender depois?

Fase dois: Responda com uma única palavra positiva. – Depois de dominar bem a fase um, podendo manter-me calada, atingi a fase dois e passei a responder com uma palavra positiva. Escolhi a expressão "Claro!" (e é com ponto de exclamação e melodia na voz). Comecei a usar esta resposta positiva e a dizer "Claro!" para as pequenas coisas.

Minha querida amiga Dixie também escolheu a expressão "Claro!", e deixe-me contar algo que aconteceu em sua família

como resultado disso. O marido de Dixie apreciava muito ir ao "Clube do Preço", um armazém de descontos abarrotado e barulhento, e muitas vezes ele anunciava depois do jantar: "Ei, vamos ao 'Clube do Preço'!" Bem, Dixie – com três crianças, uma delas ainda bebê na ocasião –, poderia ter apresentado um argumento convincente para não tirar a família inteira de casa para ir ao "Clube do Preço" em uma noite da semana, depois do entardecer –, mas ela não o fez. Também nunca desafiou a liderança de Doug, diante de sua pequena família. Ao contrário, ela apenas sorriu, respondeu "Claro!" e colocou todo mundo no carro para outra viagem ao "Clube do Preço".

Muitos anos depois, à mesa do jantar do Dia de Ação de Graças, quando cada um dos membros da família de Dixie compartilhava qual tinha sido a melhor coisa feita em família, seus três filhos – já adultos – disseram: "Ir ao 'Clube do Preço', todos juntos!" Essa unidade familiar, diversão e recordações foram possíveis por causa do doce coração de Dixie – e de sua palavra – de submissão.

Uma vez que você comece a responder positivamente às pequenas coisas, rapidamente achará cada vez mais fácil, e até mesmo natural, responder positivamente a assuntos cada vez maiores – como compras de carro, mudança de trabalho e coisas do lar.

Certa vez, fiquei assombrada quando, às 5h30 da manhã, o telefone tocou. Jim estava ligando de Cingapura, para onde viajara com nosso pastor de missões. Ele não disse: "Oi, como vai você? E as crianças? Estou com muitas saudades, amo-a e não posso esperar para vê-la." Ao contrário, ele deixou escapulir: "Ei, você gostaria de se mudar para Cingapura e exercer o nosso ministério aqui?" E da minha boca saiu a resposta imediata: "Claro!" seguida por "Onde fica?" Talvez tenha sido o horário muito cedo, ou a saudade de Jim, ou a surpresa... Ou talvez porque nos últimos dez anos eu havia crescido na área da submissão. Qualquer que fosse a razão, meu treino em submissão em responder positivamente funcionou. Deus me deu a graça de dizer: "Claro!" Nós fomos para Cingapura e servimos lá durante um ano. Foi uma experiência maravilhosa para nossas filhas de dez e onze anos, como também para mim e Jim. Nós quatro apreciamos tanto a experiência de estar ali, que desejávamos passar o resto de nossas vidas por lá!

DIANTE DE CADA PALAVRA, AÇÃO E ATITUDE, PERGUNTE: "ESTOU ME SUBMETENDO OU ESTOU RESISTINDO?" – Sempre que a tensão aparecer em seu coração e você estiver enfrentando questionamentos ou resistindo à direção de seu marido, pergunte-se: "Estou me submetendo ou estou resistindo?" Sua resposta apontará o problema. Já disse o bastante!

Resposta do coração

Ah! querida amiga, não deixe que este aspecto das instruções de Deus para o casamento seja um exercício frio! Estamos falando principalmente sobre uma resposta *do coração*! Seu marido é o seu companheiro de vida. Independente de como ele seja, ele é o bom e perfeito presente de Deus para você, parte do plano de Deus para sua satisfação pessoal e, o mais importante, para o seu desenvolvimento espiritual. Seu caráter cristão fica evidente cada e toda vez que escolhe, de coração, dobrar-se, render-se, honrar e submeter-se ao seu marido. A submissão a seu marido é uma das maneiras de você, como uma mulher segundo o coração de Deus, honrar a Deus. Assim, não quer transferir – como eu fiz – a idéia de submissão do plano humano para o divino? Olhe totalmente para a maravilhosa face de Deus e então submeta-se ao seu marido, como ao Senhor.

E se você não tem marido? Deus dá a cada uma de nós, suas filhas, inúmeras oportunidades cada dia de desenvolver um coração que honra outras pessoas. Honrando a Deus, você pode dar preferência a outras pessoas em sua vida (Romanos 12.10). Sua dedicação para honrar pessoas honra a Deus e traz à sua vida uma beleza que reflete o seu coração segundo o coração de Deus.

7
UM CORAÇÃO QUE AMA — Parte I

...a fim de instruírem as jovens
recém-casadas a amarem ao marido...
– *Tito 2.4*

Chegando ao fim de minha leitura do Novo Testamento, percebi que Deus havia reservado para o final a instrução mais excitante sobre ser uma esposa! No minúsculo livro de Tito, descobri que *devo colocar meu marido em primeiro lugar no meu coração depois de Deus.* Esta é a clara implicação da instrução divina às mulheres mais velhas na igreja: ensinar às mais jovens como se tornarem mulheres segundo o coração de Deus. A primeira coisa que as mulheres casadas devem aprender e praticar é amar seu marido (versículos 3-4).

Amor sincero, porém, prático

Quando li o texto de Tito 2.4 em minha Bíblia, pensei: "Bem, claro que amo meu marido!" Mas só para ter certeza do que Deus estava falando, fiz outra viagem à estante de Jim. O que achei naquela abençoada viagem revelou outro aspecto da tarefa que recebi de Deus! Deixe-me explicar.

Deus ama (*agapeo*) você e eu incondicio-

nalmente, apesar de nossas falhas, e, certamente, nós, as esposas, devemos amar nosso marido com este tipo de amor incondicional. Mas quando Deus nos instrui a "amar" nosso marido, em Tito 2.4, a palavra é *phileo*, significando *amor-amizade* – um amor que aprecia, desfruta e *agrada* nosso marido! Devemos valorizá-lo e construir uma amizade com ele.[1] Deveríamos ver nosso marido como o nosso melhor amigo e querer estar com ele mais do que com qualquer outra pessoa.

Sim, mas como?

Como uma esposa pode desenvolver um coração de amor, um coração preparado para apoiar seu marido de maneiras práticas "até que a morte os separe"?

DECIDA FAZER DE SEU MARIDO SEU PRINCIPAL RELACIONAMENTO HUMANO – Nosso relacionamento com nosso marido deve ser mais importante que as relações que desfrutamos com nossos pais, amigos, vizinhos, irmãos, com nosso melhor amigo e até mesmo com nossos filhos – e o modo como gastamos nosso tempo deve refletir essa ordem!

Aprendi muito sobre esse tipo de decisão lendo um livro escrito por uma mãe e sua filha já casada, Jill Briscoe e Judy Goltz. Bem antes de sua filha se casar, Jill sentou-se com ela e disse que, uma vez casada, não poderia vir correndo para casa e continuar a ser dependente dos pais – para nada!

Então a filha escreveu: "Quando [Greg e eu] tínhamos acabado de nos casar, sempre que surgia um problema qualquer ou eu tinha uma boa notícia para dar, quase que automaticamente eu corria para o telefone a fim de o compartilhar. Normalmente, antes de terminar de discar seu número, mamãe, eu percebia o que estava fazendo e o compartilhava primeiro com Greg, para depois ligar para você."

Judy também perguntou à sua mãe: "Você se lembra quando Greg e eu tivemos uma briguinha de recém-casados e eu liguei para você em prantos? A primeira coisa que você me disse foi: 'Judy,

Greg sabe que você está telefonando para mim?'"[2]

Eu digo "Bravo!" para esta mãe que, voluntariamente, cedeu o primeiro lugar no relacionamento de sua filha e lhe mostrou o que fazer para que seu marido tivesse a prioridade em seu relacionamento humano! Afinal de contas, Deus diz que devemos "deixar" e "apegar-nos" – deixar nossos pais e apegar-nos ao nosso companheiro (Gênesis 2.24). Quando os pais são envolvidos no casamento dos filhos – quando os mandamentos de Deus não são obedecidos e suas prioridades para relacionamentos não são observadas – surgem os problemas.

Em *Building a Great Marriage*, a professora de estudos bíblicos Anne Ortlund sugere que os casais assinem um acordo que estabeleça como fica a relação entre eles, os cônjuges e seus pais. O conteúdo poderia ser algo assim: "Eu não tenho mais a responsabilidade de obedecer aos meus pais. Estou livre desta autoridade, para estar ligada, com alegria e firmeza, ao meu companheiro."[3] Um pastor em minha igreja inclui votos para serem feitos pelos pais dos noivos durante a cerimônia de casamento. Basicamente, eles prometem *ficar fora* da vida matrimonial do novo casal!

Sempre que aconselho uma mulher recém-casada, encorajo-a entusiasticamente a que converse com sua mãe e sua sogra sobre receitas, habilidades, profissão, interesses, Bíblia e crescimento espiritual. Mas sou enfática quando digo para não falar com qualquer mulher sobre seu marido! E isso funciona do outro lado também. As mães e as sogras não deveriam ficar discutindo sobre seus maridos com suas filhas e noras.

Tornar seu marido a pessoa número um para você dará algum trabalho enquanto você lida com a interferência dos pais, enquanto aprende a não planejar as coisas com eles (ou com qualquer outra pessoa, sobre qualquer assunto), sem antes consultar o "Sr. Número Um", e a lidar com as expectativas ("Naturalmente vocês vão passar o Natal conosco?... Virão todos os domingos?... Ligarão todos os dias?") Seu marido tem de ser o número um – e saber disso. E todo mundo precisa saber disso também!

COMECE A ESCOLHER SEU MARIDO ACIMA DE TODOS OS OUTROS RELACIONAMENTOS HUMANOS – Outra vez, isto inclui seus filhos. Dois psicólogos declararam: "O ponto em que muitos casamentos estremecem é o SUPERinvestimento nos filhos e o SUBinvestimento no próprio casamento."[4]

Freqüentemente leio esta história verídica para mim mesma.

AGORA É MUITO TARDE

A carta de hoje terá um tom sombrio. Vou contar-lhe uma história triste... de uma mulher que pôs seus filhos à frente do marido...

Nestes últimos dois anos, ele tem estado especialmente só. A razão? Sua esposa literalmente se trancou com a filha mais nova. Ela é uma dessas mães agarradas aos filhos durante toda a vida, e este ano, quando a última filha se matriculou na universidade, ela ficou desorientada... Agora, aquela senhora está se voltando para o marido, esperando...

Quando foi a última vez que estiveram juntos intimamente? Ele simplesmente não se lembra e não consegue esquecer a amargura. Tendo sido posto em segundo lugar durante todos esses anos, ele já estava vivendo a sua vida por conta própria. Tinha de ser... mas não estava certo. É claro que não. Mas... em todos esses anos, sua esposa tem falado *para* ele, *sobre* ele, mas raramente *com* ele... Pense na diversão que eles poderiam estar tendo agora se tivessem desenvolvido uma amizade.

Eu conheço muitos homens que, quando vieram os filhos, iniciaram uma estrada solitária. E, quando você passa muito tempo sozinho, é difícil voltar a ser um casal. Tantas coisas ele tem vivido sozinho, que parece mais fácil dizer: "Agora é muito tarde"...

Você deve ser uma esposa esperta para saber manter as prioridades... Você *pode* ser ambas as coisas – mãe e esposa. Mas a mulher sábia se lembra que vai começar *e* terminar como esposa.[5]

ANALISE SEU ESTILO DE VIDA: "ESTOU 'MIMANDO' MEU MARIDO DEMASIADAMENTE?" – Isto é o que significa amar seu marido – "mimá-lo"! E aqui estão nove maneiras, testadas e verdadeiras, para cuidar de seu marido com amor-amizade.

Nº 1. Ore diariamente por ele.

O apóstolo Tiago observou: "Muito pode, por sua eficácia, a súplica do justo" (Tiago 5.16). Certamente, a mesma verdade vale para a oração da esposa justa! Para orar eficaz e regularmente por seu marido, reserve-lhe uma página em seu diário. Escreva o nome dele no alto da página e liste os aspectos da vida de seu marido que você quer submeter a Deus – seus dons espirituais, seus envolvimentos no ministério, algum projeto ou prazos finais no trabalho, seu crescimento espiritual, tanto em casa como na igreja, e seus compromissos do dia-a-dia.

Se seu marido não for cristão, seu primeiro alvo de oração é pedir a Deus para tocar a vida de seu querido com sua graça salvadora. Deixe que a verdade da própria Palavra de Deus seja o conteúdo de suas orações, verdades como a de que Deus "não querendo que nenhum pereça" (2 Pedro 3.9) e que Deus "deseja que todos os homens sejam salvos e cheguem ao pleno conhecimento da verdade" (1 Timóteo 2.4). O papel de Deus é salvar seu marido; o seu papel é orar com fervor enquanto se submete amorosamente a ele (1 Pedro 3.1-6).

Enquanto você investe seu tempo, seu coração e sua vida orando por seu marido, se surpreenderá um dia com os sentimentos que nutria contra ele diminuídos, abrandados – como que uma paixão. Verdadeiramente, *é impossível odiar ou negligenciar a pessoa por quem você está orando!*

Além disso, Jesus ensina: "onde está o teu tesouro [neste caso, o tesouro de seu tempo e esforço investidos em oração], aí estará também o teu coração" (Mateus 6.21). Focalizar seu marido em oração a ajudará a concentrar nele o seu coração, seus pensamentos e suas ações. Você também se surpreenderá com os frutos desta oração em sua própria vida – o fruto da compreensão, alegria, paciência, auxílio e tranqüilidade. Enquanto você estiver orando por seu marido, Deus mudará o seu coração!

Nº 2. Planeje diariamente para ele.

É um fato. Nada acontece por si mesmo – inclusive um grande casamento! Por mais que você e eu desejemos ser esposas que amorosamente apóiem seus maridos, tal apoio amoroso só virá com o planejamento. Como diz a Bíblia: "Os planos do diligente tendem à abundância" (Provérbios 21.5).[6] Aqui estão alguns planos que a ajudarão a mostrar ao seu marido – e a todos os que a observarem – que ele é a sua mais alta prioridade humana!

Planeje ações especiais de bondade – Cada manhã, pergunto a Deus: "O que posso fazer para ajudar Jim hoje, animando-o, levando-o a se sentir especial, aliviando sua carga?" As respostas a esta pergunta incluem costurar aquele botão perdido, preparar as coisas para uma viagem de trabalho, fazer algo de sua lista de "coisas a consertar", até mesmo substituir meias velhas. Deixe que Deus seja seu guia.

Planeje pratos especiais – Isto significa os pratos de que ele gosta. Aprenda uma lição com Louise, uma amiga que me escreveu de sua casa nova, em Oklahoma, onde seu marido foi criado:

> Um dia, eu estava limpando a gaveta de receitas da mesa da cozinha, colocando todas as minhas receitas em duas pilhas – uma com receitas para guardar e outra com receitas para serem jogadas fora. Earl entrou e se sentou à mesa comigo, apanhou a pilha mais próxima e começou a dar uma olhada.
>
> "Ah! querida, eu aprecio muito esta aqui!... E aqui está uma das minhas prediletas, que você não faz há muito tempo... Ah! me lembro da noite em que você fez esta aqui... Hummm, queria saber que fim tinha levado esta aqui!" E assim foi, sem parar.
>
> Liz, ele estava olhando a pilha com as receitas que eu ia jogar fora! Decidi parar de servir bife para minha família. Agora, tenho todas essas receitas de "carne com batata" organizadas e programei servir bifes só uma noite por semana.

Planeje momentos especiais a sós – E estes momentos, definitivamente, têm de ser planejados. Para poder ter um momento especial a sós quando as crianças eram pequenas, eu economizava nas compras de supermercado para contratar uma babá uma vez por semana durante duas horas. Em nosso encontro, caminhávamos até o McDonalds, pedíamos café e, por cerca de um dólar, falávamos do que se passava em nossos corações durante duas horas inteiras.

Quando as crianças foram crescendo e suas atividades fora de casa aumentando, Jim e eu estávamos sempre atentos para *tirar proveito de todo e qualquer tempo a sós*. Não podíamos deixar escapar oportunidades especiais sem que fossem aproveitadas e perder chances de fazer de nosso tempo a sós uma celebração de amor.

Enquanto nossas filhas estavam crescendo, Jim e eu também planejávamos sair para um passeio a dois a cada três meses – uma prática que continuamos a ter mesmo com nosso "ninho" vazio. Essas viagens requeriam muita pesquisa, economia e planejamento (combinávamos com amigos para ficarem com as meninas), mas esses momentos inestimáveis definitivamente valeram o esforço. Voltávamos 24 horas depois, descansados e com o compromisso renovado um para com o outro e para com nosso casamento.

PLANEJE JANTARES ESPECIAIS A SÓS – Novamente, planejar é fundamental, e minha vizinha Terri é um grande exemplo disso. Todas as quintas-feiras, ela fazia "a noite do cachorro-quente" para os três filhos. Durante toda a semana, ela falava da "noite do cachorro-quente" até que os meninos não pudessem esperar para comer na quinta-feira – às 16h30! Depois de devorar seu delicioso jantar, os meninos nem notavam quando eram colocados na banheira às 17h30. Lá pelas 18h30, ela lia uma história, eles oravam e as luzes eram apagadas. Então vinham a toalha de mesa de linho e os guardanapos, dois pratos de porcelana chinesa, pratas e cristais de Terri. Ela colocava um tronco na lareira e acendia o fogo, enquanto uma caçarola emergia do forno. Acendia as velas, apagava as luzes e – olé! – um jantar especial para dois.

PLANEJE QUE AS CRIANÇAS DURMAM CEDO – Planeje que os filhos pequenos durmam cedo, de forma que você tenha algum tempo de qualidade com seu marido – sem a competição das crianças. Este é um modo prático de escolher a companhia de seu marido em vez das interrupções e distrações geradas pelos pequenos.

Se você estiver evitando ter esses momentos preciosos e confortáveis a sós com seu marido, pergunte-se por que – e então planeje reparar a situação.

PLANEJE IREM PARA A CAMA AO MESMO TEMPO – Eu sei que uma coruja noturna pode se casar com um passarinho da manhã, mas, se for possível, ajuste seu horário ao de seu marido. Fazer isso ajudará a formar uma equipe com seu marido, dando-lhe maiores oportunidades de o ajudar a sair para o trabalho cada manhã, manterá a família no horário e criará um amor físico em seu casamento. Novamente, planejar é fundamental.

Como eu disse no começo do capítulo, devemos ver nosso marido como o nosso melhor amigo e trabalhar na construção de uma amizade com ele. Este trabalho demanda planejamento, mas as recompensas definitivamente valem o esforço conforme fluem de um coração que ama.

Pausa do coração

Por que não parar e orar por seu marido – seu melhor amigo – agora mesmo? Agradeça a Deus o amor que Ele tem colocado em seu coração e peça a sua ajuda para compartilhar esse amor com seu marido. Depois de dizer "amém", planeje algo especial para seu marido hoje, que transmita uma mensagem de amizade de seu coração para o dele.

E então prepare seu coração para descobrir no próximo capítulo mais maneiras de esbanjar amor por ele!

8

UM CORAÇÃO QUE AMA — Parte II

...a fim de instruírem as jovens
recém-casadas a amarem ao marido...
– *Tito 2.4*

O que você e eu podemos fazer para demonstrar ao nosso marido um amor afetuoso, tolerante e de amizade? Eu lhe prometi apresentar nove sugestões; e aqui está o restante delas. Murmure uma oração por seu marido enquanto considera estas maneiras de lhe mostrar seu cuidado!

Nº 3. Prepare-se diariamente para ele.
Preparar-se para a volta de seu marido do trabalho, cada dia, mostra-lhe que ele é uma prioridade e expressa seu coração de amor.

PREPARE A CASA – Passe alguns minutos antes de seu marido chegar em casa recolhendo rapidamente as coisas. Faça as crianças ajudarem guardando seus brinquedos. A meta não é a perfeição, mas uma impressão de ordem e limpeza. Muitas amigas minhas acendem velas perfumadas, cortam flores frescas do jardim e as arrumam

em vasos, colocam uma música relaxante, acendem a lareira e até colocam algo no forno. Assim o homem da casa chega com uma variedade de sensações – que juntas comunicam: "Nós estamos alegres por você estar em casa."

CUIDE DE SUA APARÊNCIA – Se você estivesse esperando uma visita, naturalmente faria algo para melhorar a aparência, não faria? Seu marido – sua prioridade humana número um – é muito mais importante que uma visita. Então ele deveria receber o tratamento mais especial de todos! Penteie o cabelo, retoque a maquiagem e troque de roupa. Assim ele não vai ver o mesmo moletom velho que você estava usando quando ele saiu pela manhã. Vista uma cor luminosa, um pouco de batom e um pinguinho de perfume. (Perfume alegra o coração – Provérbios 27.9!) Afinal de contas, a pessoa mais importante da sua vida está prestes a entrar pela porta.

Prepare as crianças também. Em seu livro clássico *What Is a Family?*, Edith Schaeffer assinala: "As pessoas facilmente se aborrecem com crianças mal apresentadas. É tão bom... enfrentar o fato de que toda a família tratará uns aos outros de maneira diferente se estão todos vestidos para a ocasião, qualquer que ela seja."[1] Rosto sujo, nariz escorrendo, cabelos caindo no rosto não compõem comissão de recepção – "Seja bem-vindo ao lar"!

PREPARE SUA SAUDAÇÃO – Provavelmente você sabe mais ou menos quando seu marido chegará em casa do trabalho. Assim, aqueça sua chegada enquanto espera por ele. Por exemplo, se está escuro, acenda a luz da porta. Em nossa casa, eu ficava olhando pela janela da frente até ver que Jim estava chegando. Então, movidas por meu "Papai chegou!", as meninas saíam correndo pela porta para cumprimentá-lo.

Planeje também suas palavras de saudação. Sua saudação será mais frutífera se você a fizer. "O coração do justo medita o que há de responder..." (Provérbios 15.28), e "... a boa palavra o alegra" [o coração do homem] (Provérbios 12.25).

O momento em que seu marido chega em casa não é hora de perguntar: "Aonde você foi? Por que veio tão tarde? Por que não ligou? Você pegou o leite?" Também não é hora de começar a listar os desgostos de seu dia. Assim, peça a Deus que lhe dê apenas as palavras certas – palavras positivas e de boas-vindas, que destaquem seu marido e seu humor, e não você! O que você diz primeiro quando seu marido chega em casa pode determinar o ambiente da noite inteira.

Prepare também os filhos para cumprimentarem seu pai. Esteja certa de que a televisão está desligada. Sirva um lanche às crianças mais novas, se isto ajudar a evitar choramingos e irritações enquanto esperam pelo papai – e pelo jantar. Aprenda com uma caricatura que tenho guardada, de uma mãe e duas crianças na sala de estar com uma lista na mão. A mãe diz: "O papai estará em casa a qualquer momento, revisemos a lista: controle remoto, confere; travesseiros, confere; jantar, confere; cão – o companheiro leal, confere; família mimada, confere!" Como está sua família na troca de afeto entre seus membros?

PONHA A MESA – Tenha o jantar o mais adiantado possível. Mesmo que você ainda não tenha começado a fazer a comida, uma mesa posta é uma promessa do que está para vir!

O REI ESTÁ NO CASTELO! – Países monarquistas hasteiam a bandeira real ao alto do palácio quando o rei está presente e o corre-corre dos criados pode ser ouvido por todo o castelo durante toda a sua permanência ali. Adotar essa atitude e essa abordagem (faça seus filhos a acompanharem!) ajudá-la-á a agradar e amar seu rei quando ele chegar em casa.

A FESTA! – Em certa entrevista, o casal de Hollywood, Mel Brooks e Anne Bancroft, falavam de seu casamento de 30 anos e Anne Bancroft descreveu especificamente como era a chegada do marido em casa. Toda noite, ela se senta em sua cadeira favorita e espera, atenta ao som do carro dele, ao ruído dos pneus na calçada de pedregulho, ao motor sendo desligado, à porta do carro batendo e ao barulhinho das chaves abrindo a porta. Quando a tranca se abre, ela agarra os braços da cadeira com as mãos e pensa: "Oh, menino! A festa está para começar!"

Agora, você e eu não somos casadas com Mel Brooks, mas nós duas podemos trabalhar esse tipo de atitude em nosso coração. Como a Sra. Bancroft, podemos nos alegrar, pois a melhor parte do dia começa quando nosso marido chega em casa e a festa está para começar!

DESPEÇA TODAS AS VISITAS – Encerre as visitas antes da volta de seu marido ao lar. Ele não precisa chegar em uma casa ruidosa, cheia de mães e crianças. Afinal de contas, ele é o rei!

FIQUE LONGE DO TELEFONE – Esteja certa de que vai ferir os sentimentos de alguém se estiver ao telefone quando seu marido entrar pela porta depois do trabalho. Ou serão os sentimentos de seu marido, ao vê-la fazer caretas, tentando se comunicar com ele através de sua face ou por mímica, ou serão os sentimentos da pessoa que está do outro lado da linha, quando você anunciar abruptamente: "Puxa! Tenho de desligar! Meu marido chegou!", e desligar o telefone. Você sabe quando seu marido normalmente chega em casa. Então fixe um tempo, próximo a essa hora, para não fazer nem receber telefonemas.

Como esposas com um coração cheio de amor por Deus e especialmente por nosso marido, você e eu somos privilegiadas em poder preparar a casa para a chegada dele e fazer transbordar nosso amor.

Faça fluir o amor de Deus que é derramado em seu coração (Romanos 5.5), quando seu marido entrar pela porta de sua casa! Como disse Martin Luther King Jr.: "Deixe a esposa fazer com que seu marido se sinta bem quando chegar em casa." Esteja segura de que ele não está sendo tratado e cumprimentado da forma como o foi o homem que escreveu as seguintes palavras!

A VOLTA AO LAR

Você sabe, quando eu chego em casa depois do trabalho, a única que age como se ela se importasse comigo é minha pequena cachorra. Ela realmente fica alegre de me ver e demonstra isso... Eu sempre entrava pela porta dos fundos porque Dóris estaria na cozinha... Mas, to-

> das as vezes, ela tirava os olhos do que quer que estivesse fazendo, se dirigia a mim com o olhar mais assustado e dizia: "Oh! você já chegou?"... De alguma maneira, ela me fazia sentir como se eu tivesse feito uma coisa errada, só por ter chegado em casa. Eu costumava tentar dizer "Oi" para as crianças, mas não o faço mais. Parecia que eu estava chegando entre elas e a televisão no momento errado. ...Então, agora, apanho a pequena Suzy, minha cachorra, coloco-a debaixo do braço e vou para o quintal. Ajo como se não me importasse, e talvez não devesse mesmo – mas me importo. Isso me traz o sentimento de que só sirvo para pagar as contas e manter a casa. Sabe, se não houvesse contas a pagar e nada se quebrasse em casa, aposto que poderia sair por uma semana inteira e ninguém notaria.[2]

Sei que em alguns casamentos a esposa chega em casa depois do marido, e talvez seja o seu caso. Se for, o que pode fazer para se preparar?

PREPARE-SE NO CAMINHO PARA CASA – Retoque o batom e penteie o cabelo. Use o caminho de casa para planejar suas palavras de saudação – e então faça isso com um sorriso, um abraço e um beijo, é claro! Planeje se sentar, aconchegar-se por alguns minutos e rever os acontecimentos do dia. Tenha algo em mente para o jantar, algo simples e fácil, que poupe sua energia para seu marido. Embora você esteja cansada, pode acender velas, a lareira e talvez até mesmo possa cantarolar e rir.

ORE DURANTE TODO O PERCURSO PARA CASA – A oração é a preparação mais importante do coração. Em oração, deixe para trás os acontecimentos e as pessoas de seu dia e dirija seu coração para casa e para seu precioso marido. Ore por sua saudação, suas palavras, seu jantar, sua noite. Peça a Deus força física e energia. Renuncie a todas as esperanças e expectativas de receber ajuda de seu marido. Se você receber, louve a Deus, mas comece a noite pronta para dar sem esperar receber nada de volta (Lucas 6.35). Reafirme diante de Deus que seu marido amado é o número um e peça a alegria divina em servi-lo.

Nº 4. Agrade-o.

Se seu marido é o rei do castelo, certamente você terá prazer em agradá-lo. E agradá-lo significa prestar atenção aos seus desejos, preferências e desinteresses – e isso dá um pouco de trabalho. Minha amiga Gail é casada com um grande apreciador de esportes. Depois de anos de discussão sobre seu hábito de assistir a esportes na televisão todos os sábados, ela decidiu se unir a ele em sua "preferência". Então, na semana anterior à Série Mundial, Gail comprou duas camisetas e dois bonés de beisebol do "Los Angeles Dodger", o clube favorito de seu marido. Quando foi chegando a hora do jogo no sábado, ela estendeu uma toalha de mesa, xadrez, vermelha e branca, no chão, em frente à televisão, entregou as camisetas e os bonés e serviu cachorros-quentes. Ambos se divertiram muito com aquele jogo!

Suzy, outra amiga, teve um desafio maior para agradar seu marido. Gary é um bombeiro do Corpo de Bombeiros de Los Angeles que, antes de ir para o trabalho, "gosta" de um café da manhã de "fazendeiro", com bacon, ovos, batata e torradas. Então Suzy se levanta às 4 horas da manhã para preparar o café antes de ele sair às 5 horas!

Meu Jim "gosta" do galheteiro com sal e pimenta na mesa. O marido de Mônica "gosta" de ler o jornal de manhã antes de ir para o trabalho. Quando o marido de Elaine vem para casa para relaxar, ele "detesta" ver brinquedos jogados pela sala. O esposo de Kathy "detesta" sujeira em cima da geladeira – algo que só ele pode ver!

Quais são as coisas de que seu marido gosta e quais são as que ele detesta? E o que você tem feito a respeito delas?

Nº 5. Zele pelo seu tempo com ele.

Você faz de seu marido a prioridade humana número um quando zela pelo tempo que passa com ele, em vez de tratá-lo como uma babá e sair correndo para fazer compras quando ele chega em casa?

Uma esposa e mãe descreveu deste modo a forma como enfrentou esse aspecto em sua vida conjugal: "Nesta última semana fiz uma mudança pequena em minha rotina semanal, a fim de colocar meu marido como prioridade. Geralmente, vou ao supermercado semanalmente à noite, enquanto meu marido cuida de nosso filho de dois anos. Tenho feito isso desde que meu filho cresceu o suficiente para lançar fora as coisas do carrinho. Eu achava que, fazendo compras à noite, não precisaria vê-las sendo arremessadas para fora do carrinho ou sendo misturadas dentro dele. Também poderia ser muito mais rápida se fosse sozinha, poupando o meu tempo. Entretanto, na semana passada, percebi que, provavelmente, esse não era o melhor uso do tempo de meu marido. Então fui ao supermercado durante o dia. Eu não gastei muito mais tempo do que de costume, e meu marido pareceu gostar da idéia."

Não importa há quantas décadas você esteja casada. Considere o seguinte como um princípio geral: *Se meu marido estiver em casa, eu estou em casa.*

Minha amiga Debbie tinha de escolher entre usar seu tempo com o marido e usá-lo estudando a Bíblia em nosso encontro para mulheres, quando o dia de folga dele caía no mesmo dia do estudo! Debbie orou... e escolheu ficar com Tom. Escolhendo nutrir seu relacionamento humano número um, ela nunca assistiu aos estudos bíblicos de quarta-feira de manhã.

Estar em casa com seu marido à noite também é importante. É fácil preencher suas noites com coisas agradáveis e deixar de desfrutar da melhor coisa – o tempo com seu marido. Uma mulher disse que nunca sabia aonde o marido ia à noite. Então, uma noite ela ficou em casa – e lá estava ele![3]

A Sra. Billy Graham é uma esposa que sabe o valor de proteger o tempo com o marido. Depois de uma visita à casa de Ruth Graham, um repórter informou: "Tudo é ajustado a Billy quando ele está em Montreat [sua casa]. Ruth se recusa a ter uma agenda fixa quando Billy está lá... A rotina diária [é] cuidadosamente projetada ao redor do marido..."[4] Um vizinho da família Graham escreveu: "Porque Ruth fica fora de circulação quando Billy está em casa, suas amigas o chamam de 'A *Amolação*'."[5] Que tal colocar isso como uma meta?

Nº 6. Ame-o fisicamente.

Leia 1 Coríntios 7.3-5. Um princípio fundamental para o casamento é a "afeição retribuída" ao[à] companheiro[a]. O livro de Cantares de Salomão detalha o amor físico no matrimônio, e Provérbios 5.19 diz que nosso marido deve ficar embriagado com nosso amor sexual.

Eu me lembro de ouvir sobre a visão de Deus para o amor físico ensinada em um seminário de que participei logo que me converti. Fiquei tão impressionada (e convencida) que fui direto para casa e revelei a Jim que eu estava fisicamente disponível para ele a qualquer e a toda hora, pelo resto de nossa vida! Pode ter sido uma reação um pouco exagerada, mas eu quis agir conforme a Palavra de Deus – e Jim entendeu a mensagem.

Nº 7. Responda positivamente a ele.

Já falamos sobre escolher uma palavra para resposta positiva – uma palavra ou frase como "Claro!", "Bom!", "Sem problema!", "OK!", "Certo!", "Grande!", "Pode apostar!", "Qualquer coisa por você, meu bem!" ou "Legal!" (Notou os pontos de exclamação?) Imagine a ausência de tensão em uma casa onde os pensamentos do marido, suas decisões e palavras são acatadas docemente em vez de encontrarem resistência, negativismo ou discussão.

Sua resposta imediata e graciosa cria uma atmosfera não ameaçadora para a comunicação e para perguntas – perguntas como: "Quando vamos considerar fazer isto?", "Quanto poderíamos pagar por algo assim?", "O que isto vai significar para as crianças?" ou "Há alguma outra informação de que nós precisamos?"

Pense em sua resposta como um sanduíche. A primeira fatia de pão – sua resposta inicial – é um positivo "Claro!" O recheio (carne, alface, tomates, etc.) são perguntas que você faz para esclarecimento, perguntas como essas que há pouco mencionei. A fatia final de pão – sua resposta em submissão – é outro positivo "Claro!" Deixe-me contar sobre um sanduíche que eu fiz uma vez.

Uma manhã, enquanto estava secando o cabelo com um secador, Jim perguntou se eu poderia ajudá-lo a achar algo. Meu primeiro (e rápido) pensamento foi: "Você não está ouvindo?

Estou secando o cabelo!" Uma decisão menos egoísta – e melhor – foi gritar acima do barulho do secador: "Claro! Eu o ajudarei assim que terminar de secar meu cabelo." Mas Deus me deu a sabedoria para tomar uma atitude menos egoísta que essa. Eu disse: "Claro!" (a primeira fatia de pão), enquanto desligava o secador. Então perguntei a meu marido (aqui está o recheio): "Você precisa que eu faça isto agora, ou dá tempo de eu terminar de secar o cabelo?" Embora eu tenha feito uma pergunta, estava pronta a fazer o que quer que Jim dissesse (a segunda fatia de pão, a fatia da submissão). Parei o que estava fazendo para me comunicar com Jim, indicando minha prontidão em servi-lo. Claro que ele me deixou terminar de secar o cabelo, mas o importante foi a minha prontidão e o meu desejo de responder a ele. Minha resposta simples mas positiva não foi nenhuma disputa de poder, nenhum aborrecimento, nenhuma palavra amarga, nenhum grito – e fez com que nosso dia começasse melhor.

Nº 8. Elogie-o.

Tenho muito poucos "nunca" em minha vida, mas um "nunca" primordial é nunca criticar ou falar negativamente sobre meu marido com quem quer que seja. Em vez disso, tento colocar em prática o sábio conselho de uma querida e abençoada amiga de nossa igreja. Loretta sorri e diz docemente: "Senhoras, nunca deixem passar uma oportunidade de elogiar seu marido em público." (E eu acrescentaria: Não se esqueçam de elogiá-lo face a face também!)

Se você se surpreender criticando seu marido, rapidamente feche a boca e faça estas três coisas:

- Examine seu coração. "O ódio excita contendas, mas o amor cobre todas as transgressões" (Provérbios 10.12). Alguma coisa está fora de sintonia em seu coração porque "um coração de amor fecha a cortina do segredo sobre as faltas e fracassos dos outros... O amor não usa de maledicência".[6]

- Busque uma solução. Se alguma área séria da vida de seu marido precisa de atenção, procure um caminho melhor do que rebaixá-lo. Em lugar disso, dedique-se a orar e, se você precisar falar, faça-o depois de muita preparação, com todo o cuidado, de forma edificante e doce (Efésios 4.29; Provérbios 16.21-24). Talvez você precise se aconselhar com alguém sobre o assunto; mas lembre-se que não está lá para desabafar sobre seu marido, mas para conseguir ajuda para lidar corretamente com o problema.

- Estabeleça um objetivo. Tome a decisão de não falar destrutivamente sobre seu marido, mas elogiá-lo sempre que tiver oportunidade.

Elogiar seu marido em público – e particularmente – é um modo de plantar sementes de amor por ele em seu coração.

Nº 9. Ore sempre.
Demos a volta completa. Começamos com a oração e terminamos com a oração. Uma mulher segundo o coração de Deus é uma mulher que ora. Quando a oração faz diferença? Prove, orando nestas situações:

- Antes de falar pela manhã
- A qualquer hora em que seu marido estiver em casa
- Antes de seu marido voltar para casa
- Ao longo da noite
- A caminho de atender ao telefone (pode ser ele)
- Quando você estiver chegando em casa e ele já estiver lá

Aproveite todas as oportunidades ao longo do dia para pedir a Deus que a capacite a ser o tipo de esposa amorosa e encorajadora que Ele quer que você seja.

Resposta do coração

Seguramente, a relação mais importante na vida de uma mulher casada merece sua maior atenção! Este capítulo e os anteriores ofereceram idéias práticas, retiradas da Bíblia, de livros, da minha própria vida, das experiências de outras esposas e até mesmo da contribuição de alguns maridos!

Resumindo, uma esposa que ama o marido é uma esposa que ora, planeja, prepara-se para ele, agrada-o, protege o seu tempo com ele, ama-o fisicamente, responde positivamente, elogia-o – e ora mais um pouco! Coloque toda esta lista para funcionar, e você vai comunicar "eu o amo" com mais poder do que podem suas palavras! E lembre-se que um coração que ama é um coração que planeja. Assim, coloque a mente para funcionar e trabalhe mostrando ao seu marido o amor que está em seu coração!

9

UM CORAÇÃO QUE VALORIZA SER MÃE

...não deixes a instrução de tua mãe.

– Provérbios 1.8

"Não há maior condição de ministério, posição ou poder do que a posição ocupada pelas mães."[1]

Fico contente de não ter lido estas palavras logo que me converti. Deus ainda não tinha me ensinado a verdade dessa declaração, e eu poderia tê-la rejeitado totalmente. Quando Cristo se tornou o coração e a alma do nosso lar, eu tinha duas filhas em idade pré-escolar, com um ano e meio e dois anos e meio. Katherine e Courtney eram espertas, mas nunca tinham sido ensinadas ou disciplinadas. Nós tínhamos nossos momentos de diversão e alguns tempos agradáveis, mas nossa casa era cheia de tensão enquanto eu as adulava, bajulava e ameaçava para que tivessem um comportamento aceitável.

Mesmo com as meninas tão pequenas, eu era ausente de casa. Matriculada em um programa de mestrado em casamento e aconselhamento familiar, usava meu tempo, minha energia e o esforço do meu coração em conseguir uma licença de conselheira para ajudar *outras* famílias – enquanto negligenciava a minha própria família. Criando as crianças fora de casa durante longos dias, com uma variedade de babás e creches, só tínhamos de enfrentar as noites e os finais de semana miseráveis. A possibilidade de a maternidade ser um ministério ou uma condição de grande posição e poder era completamente estranha para mim. Eu estava vivendo de acordo com a mensagem do movimento de liberação das mulheres dos anos 70.

Mas Deus – nosso Deus sempre fiel – abriu meus olhos e dirigiu meus pensamentos para os seus sábios e perfeitos caminhos a respeito de como ser mãe. Quando me converti, freqüentava um estudo bíblico para mulheres uma noite por semana. Lá, comecei a ouvir coisas que nunca tinha ouvido antes – comentários sobre o "privilégio" de ser mãe, a desafiadora "responsabilidade" de criar os filhos para Deus e a "função" materna de treinar e disciplinar seus pequenos.

Com a professora sempre apontando para a Bíblia, mais uma vez, usei minha caneta marca-texto de tinta cor-de-rosa, realçando em minha própria Bíblia aquilo que falava comigo – desta vez como mãe. Estudando essas passagens realçadas, descobri quatro paixões que refletem um coração que valoriza ser mãe. Discutirei duas neste capítulo e duas no próximo.

Paixão por ensinar a Palavra de Deus

Uma mulher segundo o coração de Deus é, primeiramente, uma mulher que tem em seu próprio coração uma paixão profunda e permanente pela Palavra de Deus. E seus filhos – não as crianças da igreja, as mulheres da igreja, os amigos, os vizinhos ou qualquer outra pessoa – são os primeiros a receber os frutos dessa paixão pessoal ardente.

A Bíblia fala duas vezes do "mandamento" ou instrução da mãe (Provérbios 1.8; 6.20), indicando que você e eu, como mães, *recebemos de Deus a tarefa de ensinar a sua Palavra aos nossos filhos.* Você e eu podemos fazer muitas coisas por nossos filhos, mas ensinar a Palavra de Deus deve ser nossa paixão. Por quê? Porque a Palavra de Deus (do hebraico *tora*, que significa a lei divina, a Palavra de Deus, a Bíblia) tem valor para a salvação e para a eternidade.

Deus utiliza sua Palavra para atrair as pessoas a Ele. O apóstolo Paulo ensina que "a fé vem pela pregação, e a pregação, *pela palavra de Cristo*" (Romanos 10.17, ênfase acrescentada) e que "*as sagradas letras... podem tornar-te sábio para a salvação* pela fé em Cristo Jesus" (2 Timóteo 3.15, ênfase acrescentada). Além disso, a Palavra de Deus nunca volta para Ele sem primeiro realizar os seus propósitos divinos (Isaías 55.11). Levando em conta esse poder salvador da Palavra de Deus, temos de colocar sua Santa Palavra como a primeira na lista de coisas que nossos filhos devem saber – e a primeira em nosso próprio coração! Temos de ter paixão pela Palavra de Deus antes de podermos compartilhá-la com nossos filhos.

Paixão por ensinar a sabedoria de Deus

Muito relacionada com nossa chamada para ensinar a Palavra de Deus aos nossos filhos está a nossa chamada para lhes ensinar a sabedoria divina. Na verdade, o segundo significado da palavra *tora*, em hebraico, é "sabedoria". Esta definição abrange todo e qualquer princípio, deliberação, tradição, modelo de adoração, diretriz para tomada de decisão e prática religiosa baseados na Bíblia. Usada neste sentido, *tora* significa a sabedoria prática e bíblica para a vida diária.

Em Provérbios 31.1-9, temos a idéia de uma mãe que valorizou ser mãe e prezou tanto seu filho quanto a sabedoria de Deus. Nesse capítulo, seu filho, o rei Lemuel, registra "as palavras que *sua mãe lhe ensinou*" (versículo 1, ênfase acrescentada). Imagine a intimidade da cena sugerida aqui. Talvez o jovem príncipe estivesse sentado aos pés de sua mãe, absorvendo – talvez até estivesse escrevendo – as palavras de sabedoria que sua mãe compartilhava com ele. Ele se lembrou daquelas palavras pelo resto da vida, usou-as como rei para dirigir o seu reino, e então as passou adiante, no final do livro de Provérbios. Do coração de sua mãe – para o coração do rei Lemuel – para o seu e o meu coração!

Sempre que me lembro da chamada para ensinar a sabedoria prática às minhas filhas, penso no sal! De acordo com a Bíblia, minha palavra deve ser "temperada com sal" (Colossenses 4.6), e esta passagem maravilhosa sobre a mãe dá-me – e a você – permissão para salgar a vida de nossos filhos continuamente com a sabedoria de Deus. De nossas bocas, em todas as oportunidades, tem de sair sal – a verdade de Deus, palavras da Bíblia, aplicações dos ensinos bíblicos, e referências à presença de Deus conosco e de seu poder soberano no mundo.

Em Deuteronômio 6.6-7, Deus fala aos pais: "Estas palavras que, hoje, te ordeno estarão no teu coração; tu as inculcarás a teus filhos, e delas *falarás* assentado em tua casa, e andando pelo caminho, e ao deitar-te, e ao levantar-te" (ênfase acrescentada). Primeiro, a mãe e o pai abastecem seus próprios corações com a Palavra de Deus (versículo 6) e, então, deliberada e diligentemente, ensinam seus filhos todos os minutos de todos os dias (versículo 7).

Quando descobri que tinha recebido de Deus a tarefa de ensinar a Katherine e Courtney sua Palavra e sua sabedoria – temperar e preservar suas vidas com o sal da sua verdade –, tive de treinar a mim mesma a estar sempre na expectativa, pronta e esperando as oportunidades que viriam enquanto estivéssemos sentadas, caminhando e dentro do carro cada dia. Eu fiz a *decisão* de ser uma mãe sempre atenta, sempre vigilante, preparada para ensinar minhas filhas acerca de Deus pelo curso de nossa vida cotidiana.

Fui muito ajudada em minha decisão quando li que até mesmo o grande evangelista Billy Graham escolheu falar sobre o Senhor. Ele percebeu que precisava criar oportunidades para compartilhar a verdade de Deus. Assim, no início do seu ministério e sucesso, tomou a *decisão* de mencionar o Senhor Jesus toda vez que desse um autógrafo. Ele *decidiu* ainda fazer com que todas as entrevistas que desse veiculassem a mensagem do Evangelho. Escrevendo à sua esposa Ruth, Billy contou: "Decidi que, nos almoços para homens de negócios, tudo será canalizado para o

Evangelho. Não vou fazer palestras em eventos seculares ou ficar apresentando para eles pequenas e doces canções de ninar."[2]

Como mães que querem criar seus filhos segundo o coração de Deus, nós, também, temos de tomar a decisão de "canalizar tudo para o Evangelho" e relacionar toda e qualquer pequena coisa com Deus. Temos de falar sobre Deus para nossos filhos quer eles achem agradável ou não. Afinal de contas, as pessoas falam sobre o que é importante para elas, e quando você e eu falamos sobre Deus, comunicamos que Ele é extremamente importante para nós. E deixe-me lembrá-la de que você terá mais oportunidades de falar sobre os caminhos de Deus (e será melhor ouvida!) se a televisão estiver desligada – e isso requer outra decisão!

Esteja consciente, também, de que a sabedoria prática de Deus é ensinada de dois modos. O primeiro é o que temos discutido: ensinamos com palavras, com conversa. Mas também ensinamos com nossos *passos* – com a maneira com que vivemos nossa vida. Nossos passos revelam tudo aquilo que fazemos e dizemos e também tudo aquilo que não fazemos e não dizemos. Nossos filhos estão nos observando, e nós estamos sempre ensinando alguma coisa, positiva ou negativa.

Uma menina escreveu: "Querida Abby, tenho dez anos de idade e tenho vergonha de minha mãe. Ela conta as maiores mentiras e faz muita fofoca ao telefone. Ela conversa com uma senhora e finge ser sua melhor amiga, quando, na verdade, é sua pior inimiga. Como pode uma pessoa ser tão falsa e depois me dizer que, se eu mentir, Deus vai me castigar?"[3]

Como vão seus passos? O que seus filhos estão vendo de Deus em você? O que você está ensinando a eles?

Sim, mas como?

Como uma mãe que preza a Palavra de Deus, valoriza sua sabedoria e ama seus filhos pode lhes ensinar a verdade?

TOMANDO ALGUMAS SÉRIAS DECISÕES – Descobrir o mandamento para que eu ensinasse a Bíblia a Katherine e Courtney me fez perceber que eu precisava tomar várias decisões importantes. Eu compartilharia a Palavra de Deus com minhas duas meninas? Eu separaria um tempo diário em nosso escasso horário para o ensino da Bíblia? E eu falaria acerca do Senhor continuamente? Eu sabia que responder positivamente a essas perguntas dependia ainda de outra decisão importante: Eu iria desligar a televisão (aqui vamos nós de novo!) e apanhar a Bíblia ou um livro de histórias bíblicas?

Independente da idade dos filhos – 16 dias, 16 anos ou 26 anos – , temos de estar ensinando sobre Deus e sua Palavra em nossa casa. Esse privilégio e essa responsabilidade são claramente parte de nossa chamada como mulheres segundo o coração de Deus. Esse tipo de ensino precisa ser parte da casa que estamos construindo para Deus (Provérbios 14.1), uma casa que honra nosso Senhor. Além disso, esse tipo de ensino é exatamente o de que nossos filhos precisam – quer eles concordem ou não! Você e eu sabemos que nós, mães, damos o de que eles precisam, não o que eles querem!

Reconhecendo seu papel de professora – Ler mais sobre como Billy e Ruth Graham criaram seus filhos aprofundou minha paixão por compartilhar, eu mesma, a Palavra de Deus. Quando perguntaram sua opinião sobre seu papel de mãe e de dona-de-casa, Ruth respondeu: "Para mim, é o trabalho mais agradável e compensador do mundo; não fica em segundo lugar em importância, nem para a pregação." Então ela acrescentou: "Talvez seja uma pregação!"[4] Você consegue ver seu papel de mãe como o de pregar, instruir e compartilhar a verdade bíblica em toda oportunidade?

Considerando estes exemplos – Como mães comprometidas com Deus, você e eu não podemos subestimar a urgência de plantar a verdade divina nos corações e mentes de nossos filhos (ou netos) desde cedo. O que teria acontecido se as nobres mães da Bíblia tivessem perdido as oportunidades de plantar as sementes do amor de Deus nos corações de seus filhos?

- Joquebede teve seu bebê Moisés com ela por, provavelmente, apenas três anos, até que ele fosse morar com a família pagã do faraó (Êxodo 2). Contudo, esta mulher, que valorizou seu papel de mãe e era apaixonada por Deus e sua verdade, comunicou bastante dessa verdade a Moisés, nesses poucos anos, capacitando-o para fazer sérias escolhas por Deus mais tarde em sua vida (Hebreus 11.24-29).

- Ana enfrentou um desafio semelhante. Como Joquebede, ela só teve seu pequeno Samuel durante os mesmos três anos, antes de entregá-lo nos degraus da casa de Deus para ser criado por alguém (1 Samuel 1 – 2). E, como Joquebede, ela ensinou a seu filho o bastante da lei de Deus para torná-lo um poderoso profeta, sacerdote e líder do povo de Deus nas décadas seguintes.

- Deus escolheu Maria para criar seu Filho, Jesus. Sem dúvida, ela levou a sério sua tarefa e diariamente regou a rica verdade de Deus no pequeno coração do seu Filho. Sem dúvida, Deus escolheu o lar certo e a mãe certa para seu precioso Filho, e, quando tinha 12 anos de idade, Jesus deixou maravilhados os professores e doutores no templo de Jerusalém com seu conhecimento. Ele já estava fazendo a obra do seu Pai (Lucas 2.46-49).

Você está plantando as sementes do amor de Deus e sua verdade nos corações de seus filhos? Nunca é muito cedo ou muito tarde para começar – e alguma coisa é melhor que nada. Assim, estabeleça um padrão, seja sincera, e seja consistente.

MEMORIZANDO E LENDO A BÍBLIA JUNTOS – A biografia de Corrie Ten Boom, escritora, evangelista e prisioneira durante a Segunda Guerra Mundial, nos dá um exemplo mais contemporâneo de um pai que regou a Palavra de Deus no coração de seus filhos. Desde cedo, o pai de Corrie instilou em sua família a importância de memorizar as Escrituras, e constatou que suas filhas haviam aprendido passagens da Bíblia depois de sua mãe morrer. Essa memorização foi muito útil àqueles servos do Senhor no tempo de sofrimento e, com a exceção de

Corrie, eventualmente quando morreram por sua fé. O tesouro bíblico de Corrie ajudou-a a sobreviver nos campos de concentração nazistas. Seu pai tinha dito a Corrie: "Menina, não se esqueça de que toda palavra que você sabe de cor é uma preciosa ferramenta que [Deus] pode usar por seu intermédio."[5] A Palavra de Deus foi realmente uma arma para Corrie Ten Boom e ajudou-a a suportar a dor e o tormento do campo de concentração. Deus também usou sua Palavra, escondida até o fim em seu coração, como um poderoso instrumento de evangelização no campo nazista, à medida que Corrie mostrava a salvação, a esperança e o conforto a outros prisioneiros sofredores.

Tão importante quanto a memorização da Bíblia é a sua leitura diária – nós não podemos omitir seu valor. Ajudando seus filhos na memorização da Palavra de Deus, o pai de Corrie lia um capítulo do Antigo Testamento para sua família toda manhã, depois do café, e um capítulo do Novo Testamento toda noite, depois do jantar.

Os pais de Elisabeth Elliot também levaram a sério o trabalho de ensinar a verdade de Deus a seus filhos. A Sra. Elliot, cujo primeiro marido foi brutalmente assassinado no campo de missões e o segundo marido morreu depois de uma longa batalha contra o câncer, testemunha o valor do seu treinamento logo cedo. Ela escreveu: "Em tempos de angústia profunda, fui sustentada pelas letras dos hinos aprendidos em cultos domésticos... A leitura da Bíblia seguia os hinos cantados. Meu pai acreditava na leitura... *feita com regularidade* (duas vezes por dia, em voz alta para nós)."[6]

O missionário John Stam, martirizado na China por causa de sua fé, descreveu o dia-a-dia em sua infância deste modo: "Três vezes, todos os dias, quando a mesa era posta para as refeições, as Bíblias também eram colocadas, uma para cada pessoa. Antes de a comida ser servida, uma oração era feita e, então, um capítulo era lido, cada pessoa lendo uma parte... Deste modo, a Bíblia estava em primeiro lugar no relacionamento diário de pais e filhos. Ela era o fundamento, o lugar-comum, o teste e o árbitro de todos os seus pensamentos. Isso mantinha e satisfazia seus corações."[7]

Você está alcançando a visão – e a paixão – pelo compromisso de infundir a Palavra de Deus nos corações de seus filhos? A tarefa nunca termina! Quando o marido de Elisabeth Elliot, Jim, foi assassinado, sua mãe lhe escreveu uma carta contendo versículos e mais versículos da Bíblia. Mesmo quando Elisabeth já tinha crescido, casado e se tornado mãe, sua mãe continuou lançando a Palavra de Deus em seu coração.[8]

SIGA O MODELO DE OUTRAS MÃES – Deus me permitiu conhecer uma família especial na qual todos têm paixão por sua Palavra. Quando o primeiro bebê chegou, a mãe decidiu recitar a Bíblia para o pequeno todas as noites, enquanto o levava para a cama. Uma de suas filhas, em idade colegial, exclamou para mim: "Sra. George, eu não posso fazer idéia de como aprendi tantos versículos de cor. Acho que ouvia minha mãe recitá-los tão freqüentemente quando me levava para a cama, que simplesmente eu os decorei!"

Esta mãe, que tanto valorizou ser mãe e entesourou a Palavra de Deus, recitou longas passagens e até salmos inteiros e livros da Bíblia para seus filhos na hora de dormir. Quando seu filho estava jogando basquetebol na faculdade, costumava ir ao ginásio antes de cada jogo, deitar-se na arquibancada e recitar Romanos de 6 a 8 para acalmar seus nervos e concentrar seu coração em Deus. Sua noiva me contou que, em suas visitas de feriado à casa dos pais dele, essa mãe espiritual também a levava para a cama, recitando a Bíblia e orando com ela – que tinha 22 anos – como fazia com os outros, circulando pelos quartos de seus filhos já adultos.

Outra filha, seguindo os passos de sua mãe, me contou como esta chorou quando ela e o marido chegaram para passar o Natal e, como um presente, recitaram para ela, sem vacilar, o livro de 1 Pedro!

Como mães, você e eu temos incontáveis oportunidades diárias em nosso lar para plantar a Palavra de Deus profundamente nas mentes e almas de nossos filhos. Temos o abençoado privilégio de sensibilizar seus corações e criá-los na disciplina e admoestação do Senhor (Efésios 6.4). Mas, primeiro, temos de compreender que os pequenos (uma vez pequenos e agora grandes) corações que Deus tem colocado aos nossos cuidados como filhos e netos são, realmente, tesouros. Então, devemos cultivar um coração "apaixonado" pela Palavra de Deus, de forma que nossa paixão transborde nas vidas daqueles que amamos.

Resposta do coração

Como mães, não podemos oferecer o que não possuímos. Assim, é vital que você e eu cultivemos uma ardente paixão pela Palavra de Deus e sua sabedoria em nosso próprio coração.

Você tem entesourado a verdade de Deus, guardando-a em seu próprio coração (Salmos 119.11)? Você tem gasto tempo todos os dias regando seu coração e mente – e os corações e mentes de seus filhos? Você já se comprometeu a dar à Palavra de Deus uma posição de destaque na vida de sua família? Que passos você está dando para reservar um tempo regular de ensino, leitura, estudo, discussão e memorização da Bíblia?

10
UM CORAÇÃO QUE ORA FERVOROSAMENTE

Que te direi, filho meu?... Que te direi,
ó filho dos meus votos?

– *Provérbios 31.2*

"Anseie pelo nada, e você o alcançará sempre." Esta afirmação me caía como uma luva antes de eu encontrar direção na Palavra de Deus. Até determinado momento, eu não fazia nada em casa para instruir minhas filhas, mas, depois de encontrar a orientação divina, passei a agir a todo vapor.

Levei a sério minha descoberta feita recentemente acerca da determinação de Deus para "pregar", e logo, como família, estávamos nos concentrando na Palavra de Deus – e incutindo-a em nossos corações. Escolhemos versículos para memorizar juntos; Katherine e Courtney começaram a fazer seus próprios "momentos a sós com Deus", além das devocionais familiares; e todos nós apreciamos muito as maravilhosas histórias da Bíblia que compartilhamos várias vezes durante o dia. Foi emocionante centrar nosso lar e nossas conversas em Deus.

Mas minha caneta marca-texto de tinta cor-de-rosa fez outra parada, desta vez em Provérbios 31.2 – "Que te direi, filho meu? Ó filho do meu ventre? Que te direi, ó filho dos meus votos?" Estas eram palavras de uma mãe, portanto deveriam conter uma mensagem para mim, mas não podia imaginar o que seria! (O que você acha que significa este versículo?) No final, este versículo provou ser o aspecto mais desafiador de minha tarefa com Deus, e o desafio continua até hoje.

Bem, revirei os livros de Jim e fiz algumas viagens à biblioteca do seminário até começar a entender a verdade escondida neste versículo e a mensagem que teve para mim como mãe. Finalmente, vi que ele apresenta mais duas paixões que resumem meu compromisso de mãe. Primeiro, esse versículo me fala que *eu sou designada por Deus para orar por meus filhos.*

Paixão pela oração

Provérbios 31.2 revela o cuidado de uma mãe pelo bem-estar de seu filho. Ele é o filho de seus votos, o que significa um filho que ela pediu a Deus em oração e o dedicou a Ele (como Ana fez com Samuel – 1 Samuel 1). "Filho dos *meus* votos" [ênfase acrescentada] também sugere que seu filho era objeto de *seus* votos e orações diárias,[1] "um filho de muitas orações".[2] Como observou um comentarista, "dedicação e instrução maternas [incluem]... a base da instrução religiosa, a solene dedicação de seu filho ao serviço a Deus [e] a repetida e mais sincera oração a seu favor. Seu filho não é só sua descendência; ele é 'o filho dos seus votos', pelo qual ela tem gasto sua mais ardente devoção."[3]

Quão adorável é a imagem de uma mãe que pensa, ama, age, fala e ora com um coração grande e apaixonado! Em seu amor, ela pede a Deus por um filho, dedica aquele filho a Deus, e então lhe ensina os caminhos do Senhor, os quais foram discutidos por nós no capítulo anterior.

Mas a paixão desta mãe por Deus e por educar seu filho nos caminhos do Senhor não pára com sua mera instrução; ela também fala *com Deus* em nome do filho. Os desejos de seu coração de mãe vão mais fundo e mais alto que ensinar e treinar o básico.

Ela é uma mãe que ora, que se esforça muito para desenvolver um caminho íntegro com seu Deus, *de forma que* possa orar efetivamente por seu filho. Como uma mulher segundo o coração de Deus, ela é vigilante acerca de seus próprios passos com Deus, tratando todo e qualquer pecado em sua própria vida (voltamos à nossa primeira prioridade) para estar preparada para entrar na santa presença de Deus e interceder por seu filho amado.

Deixe-me compartilhar como comecei a viver diariamente (e por toda a vida) o compromisso de andar com Deus e orar a Ele. Como mãe cristã (e como você, tenho certeza), eu queria desesperadamente que minhas filhas aceitassem o Salvador que amo. Minha mais elevada aspiração era que Katherine e Courtney se convertessem – mas isso era algo que eu não poderia fazer acontecer. Só Deus pode fazer isso! Assim, não tinha a quem recorrer, a não ser a Deus, com este desejo sincero para minhas meninas.

Cada manhã, ao acordar, eu sabia que estaria pedindo a Deus, durante meu tempo de oração, que Ele tocasse os corações de minhas filhas e os abrisse para Jesus. Eu também sabia que a Palavra de Deus diz: "Se eu no coração contemplara a vaidade, o Senhor não me teria ouvido" (Salmos 66.18).

Eu não queria que meus pecados e faltas impedissem Deus de "ouvir" minhas súplicas por minhas filhas. Nenhum pecado valia seu prazer momentâneo quando comparado à salvação eterna de minhas filhas. Eu queria algo muito maior que o breve prazer que vem com o falar o que vem à mente, que vem com o ódio, escolhendo não me submeter aos planos de meu marido para nossa família, e a multidão de outros pecados que poderiam fazer com que eu me sentisse bem por um instante. Eu queria duas almas para Deus! O destino eterno de minhas filhas estava em jogo!

É assim o pensamento da santa mãe de Provérbios 31.2, quando ela fala de seu filho como "o filho dos meus votos". E assim é o pensamento que você e eu precisamos ter em relação aos nossos filhos. Devemos nos comprometer a manter uma vida santa, pois uma alma – a alma de cada filho – está envolvida! Esforcemo-nos alegremente para seguir um caminho íntegro – uma vida íntegra – *de forma que* possamos orar efetivamente por nossos filhos!

Outra coisa que eu queria para cada uma de minhas filhas era um marido cristão. Novamente, por eu não poder fazer isso acontecer, mais uma vez me dirigi a Deus com um pedido ardente. Exatamente assim. Afinal de contas, meu papel era ser uma mãe que se empenhasse em caminhar com Deus, uma mãe que orasse fervorosamente para que suas filhas conhecessem a Deus, o seguissem e fossem abençoadas com maridos cristãos.

Tenho certeza de que as seguintes afirmações são óbvias, mas, de qualquer forma, eu as repetirei.

Primeiro, eu não orei por Katherine e Courtney todos os dias – mas meu profundo desejo pelo seu desenvolvimento espiritual estava lá diariamente (e ainda está). Eu carreguei minhas filhas comigo, no coração, todos os minutos de cada dia – e ainda o faço, junto com seus maridos, e o farei com seus filhos que virão.

Segundo, eu nunca passei um dia sem pecar. Mas, por causa de Katherine e Courtney e de meus desejos para que elas andassem com Deus, me esforcei (e ainda tento) andar de maneira íntegra, de acordo com o padrão de Deus, e não com o padrão do mundo ou com o meu próprio padrão. Levei a sério (e ainda o faço) os mandamentos de Deus para me afastar de comportamentos pecaminosos e me aproximar dos que agradam ao Senhor e reflitam Cristo. Todos esses esforços me prepararam para orar ao lado de minhas filhas. Mas, apesar de ensinar aos nossos filhos a Palavra de Deus e os seus caminhos (veremos isto depois), orar é tudo o que você e eu podemos fazer!

Sim, mas como?

Como uma mulher segundo o coração de Deus desenvolve um amor pela oração e o compromisso de orar por seus filhos? Como você e eu podemos nos orientar para cumprir a tarefa de orar por nossos filhos e filhas?

APRENDENDO COM MÃES E AVÓS DEDICADAS À ORAÇÃO – Exemplos reais de vida podem encorajá-la e servir de modelo para que você desempenhe o seu papel de mãe que ora.

- Logo após a conversão de Billy Graham, sua mãe separou um tempo diário para orar somente por Billy e pela chamada que ela acreditava que ele teria. Ela orou continuamente, sem faltar um dia, por sete anos, até que Billy estivesse a caminho de se tornar um pregador e um evangelista. Então, ela passou a basear suas orações em 2 Timóteo 2.15, pedindo que aquilo que ele pregasse tivesse a aprovação de Deus.[4]

- Leroy Eims, da equipe de "Os Navegantes", teve um amigo cuja mãe orava por ele durante uma hora por dia desde que ele nasceu.

- Jeanne Hendricks, esposa de Howard Hendricks, professor do Seminário Teológico de Dallas, passou uma estação do ano em intensa oração por um de seus filhos. Durante a recente adolescência, seu filho passou pelo que Jeanne chamou de um "período de blecaute". Ficou apático, mal-humorado e deprimido, comunicando-se apenas com respostas monossilábicas. "Este foi um dos períodos mais traumáticos de minha vida", admite Jeanne. "Ele estava tão longe de Deus e de nós, que eu sentia como se o diabo em pessoa estivesse querendo pegar meu filho. Orei como nunca havia orado antes."[5] Eu estava presente em um retiro de mulheres onde a Sra. Hendricks compartilhou que, durante um semestre em que essa situação continuava, ela votou diante de Deus deixar de comer à tarde. Enquanto jejuava, ela orou por seu filho durante uma hora, até que Deus o quebrantou.

- O Dr. James Dobson e sua esposa jejuam e oram por seus filhos um dia por semana.

- A mãe de Harry Ironside, pastor fundador da Igreja Moody Memorial em Chicago, "nunca deixou de orar

pela salvação dele. Ao longo de sua vida, Harry recordaria o conteúdo das súplicas de sua mãe diante de Deus: 'Ó Pai, salva o meu menino cedo. Impede-o de desejar outra coisa que não seja o viver para ti... Ó Pai, faze-o desejar ser esbofeteado, sofrer vergonha ou qualquer outra coisa por causa de Jesus'."[6]

- A filha de Bob Pierce, fundador da *Visão Mundial*, disse de seus avós: "Durante os dois anos que se seguiram à partida de Grammy para o lar celestial, Deus tomou também o vovô e a vovó Pierce, para estar com Ele. Os três tinham sido guerreiros de oração em prol de meus pais, através de várias crises, sustentando o ministério e, geralmente, providenciando uma corrente de oração. É significante notar que, uma vez que aqueles que oravam silenciaram, tudo se tornou pior."[7]

Que modelo você vai começar a seguir esta semana?

Peça a Deus a visão divina para seus filhos – Ler sobre as santas mães na Bíblia e tudo o que seus filhos realizaram para Deus pode dar-lhe uma idéia da visão divina para seus filhos. Uma das mães escolhidas por Deus foi Ana, cujo filho, Samuel, começou seu ministério bem jovem e, mais tarde, conduziu o povo de Deus como profeta e sacerdote (1 Samuel 3.1). A encantadora e humilde Isabel (Lucas 1.60) ajudou a nutrir no jovem coração de seu filho o amor por Deus, e, mais tarde, o seu ministério como João Batista moveu a paixão das pessoas pregando e preparando o caminho do Senhor Jesus (Lucas 3.4). E nunca falharemos seguindo Maria, a jovem mulher que achou graça diante de Deus (Lucas 1.30) e foi abençoada entre as mulheres (versículo 28) para ensinar, treinar e amar seu filho, o Filho de Deus, nosso Senhor Jesus Cristo!

Paixão pelo preparo espiritual

Tão importante quanto *orar* por nossos filhos – pela sua salvação e para que tenham cônjuges cristãos – é não pararmos de orar por eles. Devemos também construir uma vida dedicada a Deus e ensinar nossos filhos a seguir os caminhos do Senhor.

Muitas vezes, a mulher começa bem – ela se casa, quer um bebê, ora por um bebê, tem o bebê e passa pela cerimônia na igreja em que dedica o bebê a Deus. Entretanto, algo acontece: o bebê se torna uma razão para ela não ir à igreja.

Nancy, uma jovem mãe em minha igreja, procurou-me com um típico dilema: toda vez que ela levava seu bebê para o berçário da igreja, ele ficava resfriado. Ela sabia que o bebê precisava estar na igreja, ela precisava estar na igreja e a família precisava estar louvando reunida nos domingos, então queria saber o que poderia fazer. Enquanto conversávamos, ela propôs uma solução: levaria o bebê para o culto e se sentaria na última fila. Se (ou quando!) o bebê ficasse inquieto, Nancy sairia para o saguão, de onde poderia ouvir a mensagem por meio do sistema de som. Se o bebê não se acalmasse, ela andaria ao redor do pátio com o bebê no carrinho. Nancy ficou muito aliviada, pois a família inteira poderia ir à igreja junta outra vez!

Outra mãe, casada com um de nossos pastores, se sentava no vestíbulo de nossa igreja apesar de seus três filhos – um bebê e crianças em idade de aprender a andar. Cada um deles passava incontáveis horas de prazer no domingo de manhã engatinhando, subindo e descendo os degraus dos escritórios da igreja, enquanto Heidi ouvia os sermões pelo sistema de som. Essas crianças nunca souberam o que é não estar na igreja nos domingos pela manhã!

Isto não é uma conferência com regras sobre ir à igreja, mas posso dizer que assistir fielmente aos cultos infunde um importante hábito na vida de nossos filhos e algo em seus corações que nada mais poderia lhes dar. Nossa decisão de levar nossas crianças à igreja comunica-lhes – desde o nascimento – a importância da adoração e da comunhão na congregação (Hebreus 10.25). E esta decisão colhe dividendos incontáveis. Para começar, seus filhos nunca conhecerão outra opção para o domingo.

Outra razão para levar seus pequenos (e grandes) à igreja é a Escola Dominical. Os professores não só ensinam fielmente a verdade de Deus, mas também reforçam, na igreja, o que você está fazendo e ensinando a seus filhos em casa. Essas classes repetem e fortalecem suas mensagens sobre valores, conduta, caráter, amizades, alvos e salvação por meio de Cristo, mensagens relevantes pelas importantes decisões que as crianças tomam enquanto crescem. Finalmente, se você dedicou suas crianças a Deus em seu coração e orações ou em uma cerimônia oficial na igreja, a Escola Dominical é um instrumento prático de vivenciar esse compromisso.

Mas não é fácil chegar lá, eu sei. Na maioria das famílias, a esposa e mãe (isto é, você e eu!) é a chave para se levar a família à igreja nos domingos pela manhã. E o que podemos fazer para levar nossa família à igreja com mais prazer e menos desgosto?

Em primeiro lugar, fale sobre a igreja com entusiasmo durante toda a semana. Deixe que seus filhos vejam que você espera pelo Dia do Senhor! Inicie os preparativos para o domingo no sábado. Prepare as roupas dominicais para a manhã seguinte. Certifique-se de que os banhos foram tomados e os cabelos foram lavados na noite anterior e comece a preparar o café da manhã e o almoço de domingo. Mais uma coisa – dormir cedo no sábado faz a manhã de domingo acontecer mais serenamente!

Outra forma de ensinar nossos filhos nos caminhos de Deus é levá-los – independente de suas idades – à igreja para o *máximo*, e não o mínimo, de comprometimento com o povo de Deus e suas atividades. Aos domingos pela manhã, assista tanto ao culto quanto à Escola Dominical – e não perca o culto da noite. Nas noites de quarta-feira, normalmente, as igrejas têm algo para crianças, adolescentes e mocidade, e talvez atividades até para todas as idades. Manter os filhos envolvidos é vital para ensiná-los a conhecer e servir a Deus.

Isolada, cada oportunidade em si pode parecer que não oferece muito, mas, somados, esses freqüentes e regulares comprometimentos com a Palavra de Deus e com o seu povo durante toda a vida dão um testemunho poderoso sobre nossas prioridades e sobre aquela Pessoa a quem servimos. Levar nossos filhos à igreja para mais que uma visita de rotina de domingo (embora isso possa ser a maior realização) é uma parte essencial do treinamento deles em santidade!

Quando nossas duas filhas estavam crescendo, constantemente nós lhes lembrávamos que suas prioridades eram: primeiro, a família; segundo, a igreja; e, terceiro, a escola. Sempre que havia um evento na escola, nós lhes dizíamos: "Parece legal e talvez vocês possam ir, mas, se uma oportunidade especial para nossa família surgir, ou se uma atividade da igreja conflitar com esse acontecimento na escola, faremos outra coisa em lugar daquilo." Claro, nós as estimulávamos a que levassem seus amigos da escola às atividades da igreja. Mas Jim e eu aplicamos o "bom, melhor, ótimo" às atividades familiares, colocando a família em primeiro lugar, levando-as à igreja.

E, é claro, isto significava literalmente levar! Que mãe não está constantemente levando os filhos à escola, a esportes como basquetebol, futebol, natação, ginástica, ao balé e a passeios para compras e casas de amigos (só para citar os lugares mais comuns)? Acrescentei a tudo isso: levar as meninas à igreja, às atividades do grupo da mocidade e às casas de outras famílias da igreja – e isto era fantástico.

Nas noites de sexta-feira, Jim e eu levávamos as meninas à pista de patinação para uma noite de atividades com o grupo da igreja e íamos para a cama com o despertador ajustado para nos acordar à meia-noite para buscá-las. Ou, quando o grupo da mocidade tinha uma atividade na igreja durante toda a noite, ajustávamos o despertador para as 6h30 da manhã (num sábado!) para buscá-las às 7h, quando teriam acabado suas atividades ali.

Definitivamente, eram sacrifícios. Certamente, para nós, teria sido mais fácil se as meninas ficassem em casa; mas os resultados finais (atividades saudáveis, segurança, diversão, exposição à Palavra de Deus, conhecimento de líderes de mocidade crentes e jovens cristãos, ouvir o Evangelho e conhecer a Cristo), excediam, em muito, as inconveniências!

Resposta do coração

Você e eu nunca saberemos, deste lado do céu, tudo o que nossas orações realizam em favor de nossos filhos! Verdadeiramente, a oração eficaz e ardente de uma mãe íntegra vale muito para Deus (Tiago 5.16)! É tarefa de Deus trabalhar nos corações de nossos filhos, mas é nossa tarefa fazer dos padrões de Deus os nossos padrões e, então, caminhar por eles.

Você pode pensar em alguma área de sua vida que não se encaixe nos critérios de Deus? Mais uma vez, este é o assunto deste livro – tornar-se uma mulher segundo o coração de Deus. Eu espero e oro – por mim e também por você – que nós demos valor à Palavra de Deus, à sua sabedoria e aos seus caminhos, de forma que possamos nos achegar confiadamente junto ao trono da graça pelo bem de nossos filhos (Hebreus 4.16)!

A Bíblia também nos diz para nos examinarmos a nós mesmas, e você e eu precisamos fazer isto freqüentemente. Em primeiro lugar, para vivermos uma vida que agrade a Deus e, em segundo lugar, para encontrarmos nossa paixão pelo ensino divino. Para esse tipo de ensino são necessários tempo e dedicação, e, às vezes, a paixão necessária se acaba.

Você já se comprometeu a levar seus filhos à igreja, para que eles possam descobrir a verdade, não importando o que isso custe a você? E você já se comprometeu a levá-los à máxima revelação de Deus, sua verdade e seu povo – independente do sacrifício que você precise fazer? Você pode olhar adiante e prever o impacto que podem exercer em seus filhos as decisões diárias que você toma para ensinar-lhes a santidade?

Nunca é tarde para entregar a Deus qualquer área de fraqueza em seu coração ou em seu papel de mãe. Tudo começa com você e seu coração segundo Deus! Mas ainda bem que esse processo não pára aí. Deus é o seu parceiro, desejoso e capaz, para criar seus filhos para conhecê-lo, amá-lo e servi-lo.

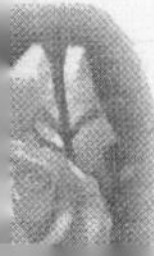

11

UM CORAÇÃO QUE TRANSBORDA AMOR MATERNO — Parte I

..a fim de instruírem as jovens
recém-casadas a amarem... a seus filhos...
– *Tito 2.4*

Assim que li as instruções de Deus para a mãe cristã, que temos observado, comecei a segui-las. O caos em nosso lar lentamente se transformou em ordem, a desobediência foi sendo substituída pela obediência, e uma estrutura começou a emergir conforme trabalhávamos em manter uma programação diária. Mas, em vez de me sentir mãe, eu me sentia como um sargento instrutor, um coronel, um oficial de polícia, tudo junto. "Isto é ser uma mãe devotada?", questionei-me. Sabia em meu coração que algo estava faltando.

Como agradeço a Deus ter-me mostrado o que me faltava, conforme continuei lendo a Bíblia, procurando avidamente mais passagens sobre ser mãe. Achei a resposta de Deus em Tito 2.4, onde li que as mães devem amar a seus filhos. Na superfície, esta declaração pode não parecer revolucionária, mas, quando eu (mais uma vez) tomei emprestados os livros de meu marido e mergulhei nessas quatro palavras, encontrei alívio e liberdade. Descobri que as mães devem ser afetuosas; devem tratar seus filhos amorosamente. Em resumo, devem ser apaixonadas por seus filhos.[1]

Mais um pouco de informação ajudou a me transformar de sargento instrutor em uma mãe cujo coração transbordava de amor maternal. Como aprendemos anteriormente, quando falamos sobre amar nosso marido, o idioma grego tem várias palavras para *amor*. *Agapeo* é o tipo de amor que Deus tem por nós como seus filhos: Ele nos ama apesar de nosso pecado, Ele nos ama incondicionalmente e Ele nos ama independente de qualquer coisa. E, certamente, nós, mães, devemos desenvolver esse tipo de amor divino por nossos filhos.

Mas *phileo* é a palavra que Deus escolheu para descrever o amor de mãe, em Tito 2.4. O amor *phileo* é o amor afetuoso, um amor que aprecia seu objeto. É um amor de amizade, um amor que desfruta dos filhos, um amor que *gosta* deles! Deus convoca os pais para construírem a família sobre o alicerce do ensino da Palavra, instrução e disciplina. Porém, o lar ganha um coração quando os pais não só *amam* os filhos, mas também quando *gostam* deles como eles são!

Nosso lar certamente mudou quando descobri a chamada de Deus para desfrutar de minhas filhas. Ah! a oração e o ensino continuaram, mas deixei a festa começar! Deus trabalhou em meu coração e me mudou conforme eu obedeci à sua Palavra. Notei que, conforme deixava fluir em minha vida o treinamento, a disciplina e a instrução que Deus ordenou, comecei a apreciar Katherine e Courtney. Vi minhas filhas como mais que um dever. Elas se tornaram pessoas com as quais eu queria estar, pessoas com quem eu me divertia e brincava, pessoas que Deus queria que fossem minha prioridade humana mais alta, depois de Jim.

Deixe-me compartilhar algumas idéias para colocar esse tipo de amor em prática – e deixe-me confessar que continuo me esforçando para atingir estas dez marcas de amor maternal.

Nº 1. Um coração que ora

O maior presente de amor que você e eu podemos dar aos nossos filhos é orar por eles. Durante décadas, acreditei na mensagem deste poema anônimo que recebi de um cristão recém-convertido:

> Alguns têm tido reis em sua linhagem,
> Aos quais era dada honra.
> Não tenho ancestrais dos quais
> Envaidecer-me – mas
> Eu tenho uma mãe que ora.
>
> Eu tenho uma mãe que ora por mim
> E suplica diariamente a Deus por mim.
> Ah! que diferença isso faz para mim –
> Eu tenho uma mãe que ora.
>
> Alguns têm sucesso mundano
> E confiam na fortuna que fizeram –
> Este é meu recurso mais seguro:
> Eu tenho uma mãe que ora.
>
> As orações de minha mãe não podem me salvar,
> Só podem me ajudar;
> Mas mamãe me apresentou a Alguém –
> Alguém que nunca poderia falhar.
>
> Oh! sim... Eu tenho uma mãe que ora por mim
> E suplica a Deus diariamente por mim.
> Oh! que diferença isso faz para mim –
> Eu tenho uma mãe que ora.

Começar cada dia orando por seus filhos os beneficia de maneiras incontáveis e também os leva para o fundo de seu coração.

Nº 2. Um coração que provê

Um coração que transborda afeto materno provê às necessidades da vida de sua preciosa família, amorosa e graciosamente – alimentação nutritiva, roupa limpa e uma casa segura. Embora não fiquemos muito entusiasmadas em colocar nossa casa no esquema, fazer a comida ou lavar a roupa, um coração cheio de amor materno faz exatamente isso. Coloca a si mesma de lado e ama as pessoas da casa, cuidando de suas necessidades físicas. Falhar nestas coisas básicas seria negligenciar. (Negligência é definida pelo Tribunal de Justiça norte-americano como *a falha deliberada em suprir as necessidades... físicas de uma criança.)*[2]

Muitas mães desejam saber por que seus filhos se comportam mal, respondem, são resmungões e requerem tanta disciplina. Talvez seja porque a mãe não está provendo o básico da alimentação, refeições no horário, corpos limpos, roupas limpas, descanso adequado, e tudo o mais.

Nº 3. Um coração que é feliz

Quando nossos filhos (e nosso marido) podem contar conosco para serem felizes, a vida do lar e as relações da família dão um passo em direção ao céu. O que quer que seja – a campainha tocar de manhã, ou você estar apanhando as crianças na escola, ou eles estarem entrando pela porta depois de alguma atividade, eles precisam saber que você estará feliz. Eu decidi trabalhar o hábito da alegria quando li Salmos 113.9 (outro versículo que marquei de cor-de-rosa): "Faz que a mulher estéril viva em família e seja *alegre* mãe de filhos" (ênfase acrescentada).[3]

Assim, comecei a orar – e muito! Eu orava quando ouvia os primeiros sons do despertar de minhas filhas e caminhava até seus quartos. Em anos posteriores, orava quando ia apanhá-las na escola. Eu queria que elas vissem que eu estava entusiasmada em estar com elas depois de terem passado o dia todo na escola. (Como disse Elisabeth Elliot, em um seminário: "Você cria a atmosfera da casa com suas atitudes." Guardei isso na mente!)

Também aprendi a me animar depois de ler esta narrativa pessoal de um filho sobre seu pai.

> Algo em meu pai me atraía como um ímã. Quando não tinha aula, muitas vezes eu corria para a sua loja de ferragens, em vez de sair com

meus amigos. O que me atraía em meu pai? Por que eu preferia visitá-lo a fazer alguma de minhas atividades favoritas? Assim que eu botava o pé na sua loja, parecia que toda a sua personalidade se "iluminava". Seus olhos brilhavam, seu sorriso cintilava e suas expressões faciais mostravam imediatamente como ele estava contente em me ver. Eu quase esperava que ele anunciasse: "Olhe, todo mundo, meu filho está aqui." Eu apreciava muito isso. Embora eu não percebesse na ocasião, essas expressões não-verbais, tremendamente poderosas, eram os ímãs que me atraíam a ele.

Cerca de 93% de nossa comunicação é não-verbal... Sempre que você vir [seu filho], "ilumine-se" com entusiasmo, especialmente em suas expressões faciais e tom de voz. Essa luz vem do conhecimento íntimo de que ele é valioso.[4]

Como mães, você e eu somos a principal influência nas vidas de nossos filhos. Temos o privilégio de nos alegrar quando os vemos e de compartilhar com eles a felicidade que está em nosso coração. E esta felicidade é maravilhosamente contagiante.

Nº 4. Um coração que dá

A Bíblia é cheia de exortações para os cristãos sobre o ato de dar. Como já temos visto várias vezes, foi assim que nosso Salvador viveu: "Pois o próprio Filho do Homem não veio para ser servido, mas para servir e dar a sua vida em resgate por muitos" (Marcos 10.45). Aqui estão alguns princípios que nos podem ajudar a ser mães que dão, mães que servem – e que fazem isto com afeto, calor e energia.

DÊ PORQUE É SEU PAPEL – Porque Deus é quem Ele é, uma mulher segundo o seu coração é uma mulher que dá. Como cristãs, devemos dar; como esposas, devemos dar; como mães, devemos dar; como solteiras, devemos dar. Este é o nosso papel, nossa tarefa recebida de Deus, como suas filhas. Damos o sorriso, a saudação alegre, o abraço, o elogio, o encorajamento, o louvor, a refeição, o tempo, o ouvido que escuta, a carona... e a lista não termina.

Como mostra Edith Schaeffer em todos os capítulos de seu livro *What Is a Family?*,[5] *alguém* tem de criar as recordações familiares e encarregar-se da tarefa maravilhosa de tornar a família uma obra de arte. Alguém tem de ser o construtor do ninho e o decorador do seu interior. Alguém tem de passar tempo orando e planejando surpresas. Alguém deve dar valor à família e lutar por ela, valor que convoca para uma carreira, valor ao trabalho árduo de ensinar a santidade a um filho, valor às implacáveis tarefas envolvidas na direção de uma casa. Continuamente, a Sra. Schaeffer escreve, mostrando ao leitor que este "alguém" é a esposa, a mãe e a dona-de-casa, e que, como tal, ela deve aceitar viver como uma doadora. Este é nosso papel como mães.

DÊ GENEROSAMENTE – Preste atenção nestas duas passagens do Novo Testamento, sobre plantar e colher: (só os pronomes foram mudados!) "... 'aquela' que semeia pouco, pouco também ceifará; e 'a' que semeia com fartura com abundância também ceifará" (2 Coríntios 9.6) e "... pois aquilo que o homem [uma mãe] semear, isso também ceifará" (Gálatas 6.7). Conforme considerei o princípio de plantar e colher, percebi que, de modo geral, o que eu colocava diariamente para minhas filhas – sementes de paciência ou impaciência, fé ou falta de fé, bondade ou egoísmo – seria o que eu poderia receber de volta nos anos vindouros.

DÊ SEM ESPERAR NADA EM TROCA – Mesmo considerando o princípio de plantar e colher, devemos nos lembrar de que as mães não devem ter nenhuma intenção dissimulada ou egoísta ao dar. Servimos nossos filhos simplesmente porque Deus manda! Da mesma maneira que fazemos para com nosso marido, devemos dar aos nossos filhos, sem esperar nada em troca (Lucas 6.35). Não damos amor materno para receber elogios, agradecimentos, reconhecimentos ou bom comportamento. (Essas coisas podem nunca vir!) Damos nosso amor em milhares de formas práticas, simplesmente porque Deus espera isto das mães. Não há opção, condição, exceção nem engano quando nos deparamos com o mandamento claro de Deus para amarmos nossos filhos (Tito 2.4).

Nº 5. Um coração que se diverte

Morar em sua casa deveria ser uma grande diversão para todos os membros da família. Para tornar isto verdade em minha casa, trabalhei para desenvolver e usar o senso de humor. Aprendi a sorrir e dar risada – e muito. Peguei livros de charadas tolas na biblioteca toda semana, e minhas filhas e eu rimos e rolamos no chão lendo esses livros.

Mais que tudo, comecei a usar livremente as palavras "eu amo". Usei esta frase para mostrar o lado bom de todos os aspectos de nossa vida: "Eu amo os sábados... o Dia do Senhor... as noites de quartas-feiras na igreja... sair com seus amigos... nossos jantares juntas... nossas devocionais familiares... orar com você... orar por você... dar uma volta com você... sentar e escutar música juntas. Eu amo todas as coisas – e especialmente, eu amo você!" Ainda digo "Eu a amo" a Katherine e Courtney (e a Jim, também, é claro) toda vez que os vejo, ou digo "Tchau", ou falo com eles por telefone.

Para ter uma casa feliz, faça também das refeições um momento de diversão. Um jovem leitor, que não estava se divertindo no jantar, escreveu à "Querida Abby":

> Querida Abby,
>
> A mesa do jantar é lugar para reclamações e problemas? Tenho 12 anos e eu estou doente e cansado de ter meu jantar perturbado com tanta conversa desagradável todas as noites. Sei que meus pais têm de resolver essas coisas – mas à mesa do jantar?... Estamos apenas *pedindo* a eles que, por favor, nos deixem ter um jantar com uma conversa agradável.
>
> (Assinado) Farto

Abby compartilhou esta porção de sabedoria:

> Querido Farto:
>
> Espero que esta carta lembre aos pais de fazerem das refeições um tempo feliz. Concentre-se no que você está *comendo* – e não no que está comendo *você*![6]

Podemos aprender uma lição observando como e quando nosso Senhor Jesus ressuscitado falou a Pedro, o discípulo que negou três vezes conhecê-lo. Em vez de confrontar Pedro antes ou durante a refeição, Jesus *esperou até depois da refeição*. Ele deixou que a refeição fosse um tempo de refrigério físico e companheirismo agradável (João 21.15). Temos feito o mesmo em nosso lar?

Pausa do coração

Estamos na metade das dez marcas da afeição materna.

Você está tendo uma visão do plano de Deus para sua relação com seus filhos e para como esbanjar amor por eles? Como mães que pertencem a Deus, nós oramos, provemos e brincamos!

Pare agora e murmure uma oração. Peça a Deus que encha seu coração com mais amor por seus filhos – com o amor que ora por nossos filhos e cuida deles, um amor que ensina e treina, e um amor que ri e se diverte.

12
Um coração que transborda amor materno — Parte II

..a fim de instruírem as jovens
recém-casadas a amarem... a seus filhos...
– *Tito 2.4*

A tarefa de Deus para as mães pode soar repressiva se não nos lembrarmos de que – por meio de sua Palavra, no seu poder e pela sua graça – Ele provê absolutamente tudo aquilo de que precisamos para fazer o que Ele ordena. Que privilégio cuidar dos filhos com os quais Ele nos abençoa e criá-los para o Senhor!

Agora, mais algumas marcas do amor materno.

Nº 6. Um coração que celebra

Outro princípio da Palavra de Deus que levei ao coração é o princípio da "segunda milha". Nosso Deus ensina: "Se alguém te obrigar a andar uma milha, vai com ele duas" (Mateus 5.41). Enfrentemos o fato: *temos* de ser mães; *temos* de cumprir deveres. Esta é a primeira milha na tarefa que nos foi designada por Deus. Então... por que não andar a segunda milha e fazer tudo de forma especial? Por que não tornar o cotidiano uma festa?

Por exemplo, o jantar. Nós *temos* de jantar – então, por que não fazer desse um momento especial? Simplesmente, acenda uma vela, ache uma flor ou alguma planta interessante no jardim, use uma decoração da estação, troque a toalha da mesa, o jogo americano ou use pratos especiais. Minhas filhas apreciavam muito umas panelas com estampa de rosas em um fundo de pedras com bordas douradas que comprei em uma liquidação. Minha amiga Judy comprou um prato vermelho com letras douradas ao redor da borda, em que se lê: "Você é especial hoje." Sempre que ela sente que alguém na família está triste ou passando dificuldades, ela prepara o "Prato Vermelho Especial", colocando aquele prato luminoso no lugar daquela pessoa à mesa.

Vocês podem também comer em lugares especiais – e não quero dizer um restaurante! Use seu quintal. Faça um piquenique. Coma de pernas cruzadas no chão em um cômodo diferente.

Seja criativa não só em relação ao lugar onde vocês comem, mas também em relação àquilo que vocês comem. Sirva um jantar "de trás para a frente", começando pela sobremesa. Ou numere os pratos da refeição, peça a cada pessoa para tirar um número e, então, sirva o jantar na ordem em que os números forem sendo tirados! Ou faça do jantar uma caça ao tesouro com pistas que levam a cada parte do cardápio – algumas escondidas dentro de casa e outras fora. Você pode andar a segunda milha também pela diversão e alegria com muito pouco esforço!

E por que não fazer do Dia do Senhor o dia mais especial da semana? Ruth Graham "fez do domingo o melhor dia da semana. Sempre havia algum passeio à tarde, de que todos participavam, e as crianças se divertiam... Era o Dia do Senhor, um dia para se alegrar e agradecer".[1] Faça tudo o que for preciso para andar a segunda milha e celebrar o fato de serem cristãos nos domingos.

Finalmente, se alguém estiver doente, traga a "bandeja de cama" e sirva nela a refeição com uma flor, uma vela e pratos especiais. E não se esqueça de colocar o "sino do doente" ao lado da cama. Deixe seu paciente tocá-lo a qualquer hora por qualquer motivo!

As tarefas cotidianas da vida – a primeira milha – são grandes oportunidades para celebrar – a segunda milha!

Nº 7. Um coração que oferece tratamento preferencial

Tito 2.4 nos ensina que nosso marido e nossos filhos são prioridades acima de todas as outras relações e responsabilidades humanas. É por isso que desenvolvi este princípio para guiar o afeto materno de meu coração: *Não dê a outros o que você não deu primeiro em casa*. E deixe-me contar como este princípio surgiu.

Uma tarde, eu estava correndo com minhas duas pequenas meninas para o carro a fim de podermos entregar um jantar à "Sra. X", que tinha tido bebê. O dia todo, eu tinha trabalhado na comida para esta mulher que precisava da ajuda das pessoas da igreja, uma mulher que eu nem conhecia. Eu tinha assado um presunto cor-de-rosa suculento, criado uma salada de gelatina em um bonito molde, cozinhado legumes coloridos em vapor, e fechado tudo com minha sobremesa mais especial.

Quando saíamos pela porta da frente, Katherine e Courtney quiseram saber para quem era a comida. Mostrei-lhes a bandeja belamente organizada e aproveitei a oportunidade para lhes ensinar sobre a oferta cristã. Expliquei: "A Sra. X teve um bebê, e nós estamos levando o jantar para sua família, a fim de que ela possa descansar, depois de ter saído do hospital!" Isto tinha soado bem, até que minhas próprias crianças perguntaram: "E o que nós teremos para o jantar?"

Quando eu disse que teríamos macarrão e queijo com cachorros-quentes (de novo!), me convenci de que minhas prioridades estavam erradas. Eu tinha colocado outra pessoa, a Sra. X, à frente de minha própria família. Eu tinha andado *muitas* segundas milhas para fazer a comida que estava levando a alguém que não conhecia, mas estava fazendo algo rápido e fácil para meu próprio marido e filhas. Em resumo, eu estava dando a outra pessoa alguma coisa que não tinha dado ainda às pessoas mais íntimas!

Desde aquele momento, tenho feito uma comida semelhante para meus queridos – pessoas anos-luz mais preciosas para mim do que qualquer outra poderá ser – sempre que eu faço uma boa ação para outros! E quando levo para algum encontro um prato trivial, faço dois deles. Quando levo sobremesa para alguma reunião, eu a levo com a falta de dois ou três pedaços – pedaços deixados para trás para minhas "VIPs" [*very important persons – pessoas muito importantes*].

Este princípio – *não dar aos outros o que você não deu primeiro em casa* – se aplica a muito mais coisas do que só à comida. Nós falamos com pessoas pelo telefone, por exemplo, mas não falamos com nossos próprios filhos. Ouvimos outras pessoas, mas não ouvimos nossos filhos. Passamos tempo com outras pessoas, mas não o passamos com nossos filhos. Damos sorrisos e alegria a outros, mas não estamos sempre compartilhando isso com os nossos filhos.

Uma mãe perguntou: "Alguma vez você já notou a diferença entre o tom de voz que você reserva para seus amigos e o que você usa com sua família? É tão fácil dar nosso melhor para estranhos e destinar as sobras à nossa família!" E continuou: "Uma jovem mãe de oito crianças entrou na sala de sua casa e encontrou todos os filhos brigando. Ela os corrigiu suavemente: 'Crianças, vocês não sabem que a Bíblia diz para sermos amáveis uns com os outros?' O mais velho, que tinha nove anos, pensativo, deu uma olhada ao redor da sala e respondeu: 'Mas, mamãe, não há ninguém aqui; só a família!'"[2]

Nº 8. Um coração concentrado

Quando li as palavras de Jesus que dizem que "Ninguém pode servir a dois senhores" (Mateus 6.24), nasceu outra norma para mães: *Previna-se contra o coração dividido*, ou seja, tentar concentrar-se ao mesmo tempo nos filhos e em outras pessoas. Aqui está um exemplo de coração dividido:

Certa vez, eu estava aconselhando uma mãe pelo telefone sobre a dura relação que ela mantinha com a filha adolescente. Tínhamos conversado bem mais que 20 minutos quando a ouvi dizer: "Olá, meu bem!" Quando eu perguntei: "Há alguém aí?", esta mãe disse friamente: "Ah, é só minha filha." Eram 15h30. Essa filha – essa *só minha filha* – tinha saído de casa às 7h. A mãe não a via há mais de oito horas, e tudo o que a filha recebeu foi: "Olá, meu bem!" – um caso claro de coração dividido. Essa mãe tinha agido claramente com um coração dividido estando ao telefone comigo (desta vez eu era a Sra. X!) quando ela soube que sua filha – com quem estava tendo problemas – estava para chegar em casa. Ela enviou uma mensagem a nós duas, mostrando que eu era mais importante do que a filha que Deus lhe deu.

Agora, deixe-me contar sobre outra mãe, a quem minha amiga Beverly e eu admiramos como cristã, esposa e mãe. Quando nós programamos um encontro, ela nos convidou para um almoço adorável, que desfrutamos em sua sala de jantar. De nossa mesa, porém, lá dentro, podíamos ver outra mesa na copa – uma mesa com toalha e guardanapos de linho engomados, flores frescas em um vaso, dois talheres de prata, dois pratos e dois copos de cristal para água gelada. Aquela linda mesa tinha sido posta com antecedência para *sua* filha adolescente que iria chegar da escola. Essa mãe zelosa e amorosa também tinha duas sobremesas a mais em taças de cristal esperando no refrigerador – e ela fazia assim *todos* os dias! (E nos dias em que ela precisava sair antes de a filha chegar, deixava um bilhete amoroso na mesa posta e uma deliciosa sobremesa no refrigerador.)

Às 14h30, esta sábia mãe – uma mãe que compreendia suas prioridades – deu a entender que era hora de nós duas irmos embora porque alguém mais especial estava vindo! Ela disse delicadamente: "Bem, sinto muito termos de encerrar nosso encontro, mas estou esperando minha filha, que estará em casa em 15 minutos, e este é o nosso momento especial."

Ela não queria perder um segundo do precioso tempo com sua filha ao ter de dividir sua atenção com suas visitas! Ela nos havia dado de presente um tempo – tempo rico, que influenciou a vida de Beverly e a minha vida – mas nossa anfitriã verdadeiramente vivenciava suas prioridades; ela sabia onde concentrar seus esforços. (Quando partimos, mal tive tempo de correr para casa e colocar os jogos americanos e os pratos na mesa antes de Katherine e Courtney chegarem em casa!)

Nº 9. Um coração que está presente

Nossa presença em casa é importante. Nenhuma quantia em dinheiro pode ser comparada ao valor de nossa presença em casa depois da escola, à tarde, à noite, nos fins de semana e feriados. Nenhuma reunião para venda de utensílios domésticos, para venda de cristais, de cosméticos ou de lingerie com as amigas pode se comparar a compartilhar do jantar com sua família, ajudando as crianças a se prepararem para dormir, levando-as para a cama, lendo para elas, orando com elas e beijando-as para desejar-lhes "boa noite". *Nada se* pode comparar a isso!

Quando fui convidada, em certa ocasião, a atuar em determinado ministério, perguntei a minhas filhas o que achavam daquele meu possível envolvimento. Eu queria que elas *soubessem* que ocupavam o primeiro lugar em meu coração e eram mais importantes para mim que outras pessoas ou atividades. Então, depois de receber o "OK" de meu marido e de minhas filhas, aceitei a oportunidade e sabia que tudo estava bem em casa. Tive o apoio completo de minha família: eles queriam que eu ministrasse e estavam em casa orando por mim.

Apenas uma vez, em 25 anos de maternidade, uma filha (na ocasião, na sexta série) disse: "Eu queria que você não tivesse de ir." E foi tudo o que ela precisou dizer para eu saber que precisavam de mim em casa!

Nº 10. Um coração silencioso

Lembra-se de como aprendemos a não falar sobre nossos maridos? Aquele mesmo princípio aplica-se também aos filhos. Em Provérbios 31, a mãe [do rei Lemuel] nos oferece uma lição sobre o silêncio: "Fala com sabedoria, e a instrução da bondade está na sua língua" (versículo 26). As palavras dos lábios desta mãe que verdadeiramente ama estão marcadas pela sabedoria e bondade, e nenhuma dessas qualidades lhe permitiria falar sobre os filhos de modo negativo. Afinal de contas, "o amor cobre todas as transgressões" (Provérbios 10.12). A mãe que verdadeiramente ama seu filho mantém seu coração em silêncio, nunca divulga qualquer informação ou crítica prejudicial, nem alguma coisa geral e nada específico, sobre seus filhos. Uma amiga falava muito sobre a vida de sua casa (e seu coração) toda vez que advertia as mães mais jovens, de forma bastante genérica: "Não perca por esperar! Ter adolescentes é terrível!"

Como agradeço a Deus a vida de Betty, um grande contraste com essa outra minha amiga. Betty nunca falhou em falar positiva e entusiasticamente sobre os anos de crescimento de seus filhos. Ela me perguntou:

– Com quantos anos as meninas estão agora, Liz?

Quando respondi:

– Nove e dez.

Ela exclamou:

– Ah! me lembro quando os meninos tinham nove e dez anos! Aqueles foram anos maravilhosos!

Anos depois, quando minha resposta à mesma pergunta foi "Treze e quatorze", Betty exclamou novamente:

– Ah! me lembro quando meus filhos tinham treze e quatorze anos! Aqueles foram anos maravilhosos!

Não importava a idade de Katherine e Courtney, Betty via suas idades como anos maravilhosos. Sim, tenho certeza de que ela se deparou com os desafios habituais, mas Betty era uma mãe com o coração cheio de afeto por seus filhos, cuja casa estava cheia de alegria, cujo coração era positivo em relação à tarefa que lhe fora entregue por Deus – e de quem os lábios eram respeitosamente silenciosos sobre qualquer dificuldade!

A solução de Deus para os desafios que enfrentamos criando nossos filhos (filhos que Ele nos deu e desafios que Ele sabe que enfrentamos!) são as "mulheres mais velhas" de Tito 2.3. Assim, eu a encorajo a desenvolver um relacionamento com uma "mulher mais velha", como Betty, que possa ajudá-la e incentivá-la. Fale com ela – e com Deus – sobre ser mãe. Pergunte a ela e a Deus sobre como cumprir essa imensa responsabilidade e santo privilégio com o coração cheio de afeto por seus filhos.

Resposta do coração

Embarcamos em uma verdadeira viagem pela Bíblia aprendendo sobre ser o tipo de mãe que Deus quer que sejamos. Como somos abençoadas ao orar por nossos queridos filhos! Que desafio ensiná-los nos caminhos do Senhor! E que delícia poder estabelecer o ambiente da casa – um ambiente de amor, riso e diversão!

O seu coração está cheio de afeto materno? Você aprecia seus filhos – e eles sabem disso? Você desfruta da companhia de seus filhos e procura gastar tempo com eles?

Ser o tipo de mãe que agrada a Deus requer oração. Afinal de contas, Ele é o único que traz aos nossos corações alegria, generosidade, desprendimento, felicidade e tranqüilidade; nos capacita para nos mantermos atentas e para vivermos nossas prioridades; e provê aquilo de que precisamos para andar a segunda milha e ser mãe do modo que Ele deseja. A tarefa não é fácil, mas podemos fazer todas as coisas em Cristo, que nos fortalece (Filipenses 4.13)!

13
UM CORAÇÃO QUE FAZ DA CASA UM LAR

A mulher sábia edifica a sua casa...
– *Provérbios 14.1*

Uma noite, na hora de dormir, antes de apagar a luz, li esta adorável descrição de um lar, escrita por Peter Marshall, fundador da capelania do Senado dos Estados Unidos. Talvez essa página abra seus olhos e toque seu coração, como fez comigo.

> Eu era privilegiado, na primavera, por visitar um lar que era para mim – e eu estou certo de que para seus ocupantes – um pedaço do céu. Lá, havia beleza. Lá, havia uma grande apreciação pelas melhores coisas da vida e uma atmosfera na qual era impossível não pensar em Deus.
>
> A sala era luminosa, branca e limpa, como também confortável. Havia muitas janelas. Flores brotavam em potes e vasos, acrescentando sua fragrância e beleza. Livros revestiam uma parede – bons livros – inspiradores e instrutivos – bons livros – bons amigos. Três gaiolas de pássaros pen-

diam no brilho e cor deste lindo santuário, e os cantores expressavam sua apreciação, cantando como se suas pequenas gargantas fossem estourar.

Música da natureza, beleza da natureza – paz da natureza... Para mim, parecia um Paraíso na terra, um oásis encantado – lar.[1]

O que me tocou – fora a beleza desta imagem – foi perceber que a minha casa (e a sua) pode ser um pedacinho do céu, um tipo de paraíso para minha querida família e para todos os que entram nesse santuário. Quando dormi aquela noite, sonhei em fazer da minha casa um lugar onde fosse impossível não pensar em Deus.

Mas, quando a realidade chegou, na manhã seguinte com o alarme de meu despertador, vi que o sonho tinha acabado. Estava na hora de ir para o trabalho, se quisesse fazer meu sonho se tornar realidade. *Mas como?* era a primeira pergunta em minha mente. E mais uma vez a Palavra perfeita de Deus veio me socorrer com suas respostas.

O Trabalho da Edificação

Em Provérbios 14.1, lemos: "A mulher sábia edifica a sua casa...". Necessitando maiores instruções sobre edificação para fazer de minha casa um lar, fragmentei este versículo, começando com o aspecto positivo de edificar. "Edificar" significa, literalmente, fazer e levantar uma casa[2] – e este versículo não se refere apenas à estrutura e manutenção da casa, mas também à própria família. Veja, um lar não é só um lugar, mas também as pessoas.

Um intelectual explicou este versículo deste modo:

Embora a palavra hebraica para "casa" e "lar"" seja a mesma, "lar" é a palavra mais indicada aqui. Uma casa não é sempre um lar, e este versículo não fala da construção de uma casa, alvenaria ou carpintaria, mas da edificação do lar; a convivência da família e a rotina do dia-a-dia criando um lugar feliz e confortável para a família viver.[3]

E quem é responsável pela qualidade de vida neste lugar onde a família vive? A mulher! Ela determina o humor e mantém o clima dentro do lar. Na verdade, este provérbio ensina que, se a mulher é sábia, ela cria, diligente e propositadamente, este clima. Ela não fica apenas esperando que isso aconteça.

CRIANDO O CLIMA – Criar o clima de um lar é muito parecido com usar o seu termostato para regular a temperatura dentro de sua casa. Você decide qual será a temperatura ideal para sua família e acerta o indicador numa temperatura confortável. Então o termostato assume e trabalha, mantendo a temperatura desejada no seu lar. Se a casa começar a esquentar, o termostato vira automaticamente para o ar frio, a fim de refrescar a casa. Se o ar se tornar frio, o termostato receberá o sinal e trabalhará para aquecer a casa.

Bem, tenho descoberto que em meu lar *eu* sou o termostato! Eu quero que o clima dentro de casa seja quente, alegre, amoroso, positivo e construtivo. Então, tento ir à Palavra de Deus a cada manhã (lembre-se que Deus é o primeiro) e orar, dando-lhe a oportunidade de nivelar a temperatura de meu coração à do coração divino.

Então, trabalho para manter o conforto em minha casa. Se as coisas começam a esquentar (palavras quentes, temperamentos quentes, emoções quentes), busco palavras refrescantes, palavras calmantes ("A resposta branda desvia o furor..." – Provérbios 15.1) e palavras de paz ("...é em paz que se semeia o fruto da justiça, para os que promovem a paz" – Tiago 3.18).

Igualmente, se as coisas começam a esfriar (corações frios, pés frios, ombros frios), trabalho dando uma palavra boa que alegra os corações (Provérbios 12.25), lembrando que "O coração alegre aformoseia o rosto..." (Provérbios 15.13) e que "... a alegria do coração é banquete contínuo" (Provérbios 15.15). Esses momentos são um desafio, mas, em resposta a muitas orações murmuradas, Deus me dá o coração, a sabedoria e as palavras para criar um clima saudável. Ele fará o mesmo por você enquanto você constrói a atmosfera do seu lar.

CONSTRUINDO UM REFÚGIO – Como centro da vida familiar, o lar faz muito mais para nossa família do que podemos imaginar. Eu me lembro de uma vez em que meu marido tornou este fato muito claro. Ele tinha tido "um dia daqueles" que o levou ao seu limite máximo. Estudante do seminário, na ocasião, Jim tinha deixado o estacionamento da igreja às 5 horas da manhã para ir à aula e entregar seu sermão. Depois de voltar para a igreja pelo tráfego do centro da cidade de Los Angeles, oficiou um culto fúnebre, encarregando-se também do serviço funerário, ajudando uma senhora que, não tendo ninguém para providenciar o sepultamento de seu marido, tinha telefonado para a igreja, naquele dia, quando Jim era "o pastor escalado". Tudo isto foi encerrado com o atraso em uma reunião na igreja.

Eu tinha acendido a luz da varanda e estava olhando pela janela da cozinha, esperando Jim. Quando, finalmente, ele apareceu na porta da frente, ele não entrou – caiu, meio cambaleante. No caminho, meu marido exausto suspirou: "Oh! Liz, o dia todo eu disse a mim mesmo: Se eu conseguir chegar em casa, tudo estará bem."

"Se eu conseguir chegar em casa, tudo estará bem." Que bênção seria se todos os membros de sua família e da minha soubessem que há um lugar na terra onde tudo estará bem! O lar, verdadeiramente, seria um porto maravilhoso, um refúgio para eles, um "hospital", como diz Edith Schaeffer.[4] E que objetivo compensador para nós – construir o tipo de lar que fortalece e renova cada membro da família!

Mamãe Eisenhower estabeleceu esse objetivo para seu famoso marido, presidente dos Estados Unidos: Ela quis construir um "lar [onde] ele se sentisse pertencendo ao seu ambiente, o ambiente de uma família de coração alegre, onde não havia qualquer pressão."[5] Imagine que refúgio!

Nossos filhos e nosso marido se beneficiam com nossos esforços nessa edificação. Um conselheiro contou que "uma vida doméstica segura tende a reduzir a frustração e a intranqüilidade na vida de uma criança e lhe dá habilidade para lidar mais efetivamente com as pressões."[6] E esta é só uma das vantagens que damos aos nossos filhos quando nos empenhamos em edificar um lar.

O que também é verdade sobre a importância do lar para uma pessoa é que o fim da vida se aproxima. Quando um câncer terminal forçou o Dr. Francis Schaeffer a deixar o seu aconchegante abrigo, na Suíça, e passar a morar na América, onde poderia receber melhor tratamento, a primeira preocupação de sua esposa foi estabelecer um lar. Quando perguntaram a ela: "Por que um 'lar'?", Edith disse que "o lar é importante para ajudar uma pessoa a melhorar, como também é importante para a família passar tempos juntos se alguém está morrendo. Em qualquer caso, beleza e ambiente familiar têm um efeito no estado físico, psicológico, e até mesmo espiritual."[7]

Este é um projeto de edificação que vale a pena – fazer de nossa casa um refúgio para nossa família. Até mesmo a palavra "refúgio" traz tranqüilidade ao coração e à alma.

EVITANDO OS NEGATIVOS – O versículo que se encontra em Provérbios 14.1 começa com a frase: "A mulher sábia edifica a sua casa..." Mas a segunda metade deste versículo é tão importante quanto essa primeira: "... mas a insensata, com as próprias mãos, a derriba". Derribar uma casa significa quebrá-la ou destruí-la, golpeá-la ou demoli-la – arruiná-la.[8] Como uma mulher pode destruir sua própria casa? De que maneira ela pode se tornar uma máquina de demolição? Minha própria experiência oferece duas respostas para esta pergunta.

Primeiro, uma mulher pode causar grande dano de forma ativa: trabalhando pela destruição. Por exemplo, o que o ódio descontrolado faz? Derruba, divide e dilacera. Também quebra coisas e regras. Como se *praticar* essas ações destrutivas não fosse ruim o bastante, a ira descontrolada também *diz palavras* que machucam, destroem, arruínam e matam.

Molly Wesley, esposa do fundador do Metodismo, João Wesley, deve ter sido uma mulher que destruiu seu lar. Seu marido lhe escreveu uma carta listando dez reclamações "incluindo roubar seu escritório, sua inabilidade para convidar amigos para um chá, o modo dela de fazer com que ele se sentisse um prisioneiro na própria casa, ele ter de dar explicações [a ela] de todos os lugares onde ele tinha estado, olhar seus papéis confidenciais e cartas sem sua permissão, usar uma linguagem baixa diante dos criados e sua difamação maliciosa."[9] Estas são formas seguras de se acabar com um lar!

A segunda maneira de arruinar um lar é passiva: simplesmente não trabalhando. Podemos lentamente corroer a fundação de nossa casa com nossa preguiça, por "nunca fazer isto" (o que quer que esse "isto" possa ser), pela negligência, por esquecer de pagar uma conta ou duas, por deixar coisas para trás sucessivamente, por não passar tempo suficiente em casa. E há o problema dos "muito" – muita televisão, muita leitura, muitas compras, muito tempo com amigas, muito tempo gasto ao telefone, e – o último "muito" – muito tempo na Internet!

Sei que seu coração tem a intenção de seguir o coração de Deus e os caminhos dele. É por isso que você está lendo este livro. Assim, tenho certeza de que você quer fazer de sua casa um lar. Ter este desejo no coração é um passo importante. Fazer da casa um lar é, realmente, um assunto do coração.

Sim, mas como?

Como uma mulher que deseja de coração fazer de sua casa um lar dá cumprimento ao processo da edificação? O que podemos fazer para sermos usadas por Deus para criar o tipo de lugar que Ele tem em mente para nossa família?

ENTENDA QUE A SABEDORIA CONSTRÓI – A mulher sábia é atenta à tarefa que recebeu de Deus e sabe que construir um lar é um esforço para toda a vida. O ensinamento da Bíblia é claro, assim como é grande o contraste entre a mulher sábia e a mulher tola. A sabedoria constrói – constrói e constrói – evitando qualquer atitude ou ação que destrua. E esse tipo de esforço é inteligente se você está construindo um lar para você mesma ou para seu marido e filhos. Deixe-me explicar.

Quando minhas duas filhas estavam crescendo – desde quando eram pré-escolares até se tornarem profissionais e em todo esse período – elas estavam construindo seus próprios quartos, os quais eram suas "pequenas casas". Eu usava um sistema de cartão para as tarefas da casa, com uma série de tarefas para mim e uma série para cada filha. Quando eu limpava a casa, Katherine e Courtney limpavam cada uma seu quarto. Enquanto eu espanava, elas espanavam – e assim os seus cartões iam-se igualando aos meus, tarefa por tarefa. Cada uma tinha seu próprio cesto de roupa suja, e, só quando elas precisavam ficar na ponta dos pés para alcançar a pilha de roupa suja, lavavam suas próprias roupas, dobravam-nas e as colocavam nas gavetas. (Um resumo breve. Hoje o serviço doméstico não é problema para qualquer de minhas filhas. Elas fizeram isso durante anos. Desenvolveram as habilidades necessárias. Courtney até ganha um dinheiro extra, esforçando-se como a mulher de Provérbios 31, contribuindo para a renda de sua família, limpando as casas de outras pessoas.)

Ainda que você divida com alguém um quarto ou um apartamento, mesmo assim tem sua "casa", sua parte do espaço, para construir. Falei com uma engenhosa mãe de quatro pequenas meninas que dividiam um quarto. Cada menina tinha seu próprio beliche, prateleiras e gavetas para cuidar. La Tonya também usou fitas adesivas para dividir o chão em quatro quadrados, responsabilizando cada filha por um quadrado da área que usavam para brincar.

Como eu sempre lembrava a Katherine e a Courtney – e a mim mesma – "O que você é em casa é o que você é de verdade!" Ou estamos no processo da edificação da casa, de seu clima e sua ordem, ou estamos demolindo-a com atitudes destrutivas e negligência. Como cuidamos do lugar, das pessoas, do talão de cheques (!), das roupas, etc. diz muito de nós mesmas. A sabedoria constrói. Estamos construindo?

DECIDA COMEÇAR A EDIFICAR – Nunca é tarde para começar – ou recomeçar – a construir sua casa, a criar o oásis encantado chamado "lar". Só nosso inimigo, Satanás, desejaria que pensássemos o contrário. Podemos começar a qualquer hora – até mesmo hoje!

Uma aluna de minha classe, onde estudávamos o tema "Mulher segundo o coração de Deus", escreveu em seu papel do trabalho de casa: "Ouvindo a Palavra de Deus – e lendo para mim mesma em minha Bíblia – conscientizei-me de que deveria começar a construir meu lar imediatamente. Colocar os princípios de Deus em prática em minha casa fez uma diferença imediata. Tanto que meu marido disse na última noite: 'Gee Kate, estou contente por você ter ido ouvir Elizabeth George!'"

Comece por tomar a decisão positiva (ou por se comprometer consigo mesma) de fazer seu trabalho "de bom grado" (Provérbios 31.13) e "de todo o coração" (Colossenses 3.23). A atitude de seu coração é a chave. E não se esqueça de tomar outra decisão. A decisão de parar imediatamente com qualquer hábito destrutivo que esteja rebaixando e destruindo o pequeno pedaço de céu que você está tentando construir.

FAÇA, CADA DIA, ALGO PARA EDIFICAR SUA CASA. – Eu comecei a "fazer cada dia uma coisa para construir minha casa" depois de ler um artigo que recortei do jornal *Los Angeles Times*, intitulado "Dez Boas Razões para Arrumar a Cama". Confesso que eu era um caso clínico, e – adivinhe – comecei a fazer a cama, cada dia, porque a Razão nº 1 dizia: "Como a cama é o maior móvel do quarto, arrumar a cama melhora o quarto todo em 80%."[10]

Dê uma olhada ao redor de sua casa (ou apartamento, ou quarto, ou meio quarto), dentro e fora. Faça uma lista das coisas que precisam ser acrescentadas, consertadas, montadas, etc., de forma que seu espaço seja mais que um refúgio. Então, cumpra, cada dia, apenas um item da lista – ou até mesmo um por semana.

Você também pode querer conduzir-se com uma atitude que – se melhorada, se transformada por Deus – levantaria a atmosfera da casa. Eu usei meu próprio caderno de oração, por exemplo, para trabalhar o meu humor. Depois de ler que leva 21 dias para eliminar um mau hábito e formar um novo, pensei: "Ei, eu poderia fazer isso com meu humor!" Bem, deixe-me dizer-lhe depressa que levou mais tempo (décadas!) que três semanas para lidar com a área de maior problema, mas cada dia e cada esforço fizeram uma diferença positiva em meu lar, o céu de minha família na terra.

Resposta do coração

Neste único versículo, Deus nos dá sabedoria para toda a vida: "A mulher sábia edifica a sua casa, mas a insensata, com as próprias mãos, a derriba" (Provérbios 14.1). Examine seu coração e sua casa. Qual dessas duas mulheres é mais parecida com você? Em que você está se concentrando e investindo sua energia? Olhe além da limpeza e da cozinha; olhe para o seu coração.

Novamente, este livro é todo sobre levar a sabedoria de Deus e seus caminhos ao coração, e eu sei que você quer o que Ele quer. Responda para Ele agora, afirmando que "a palavra do Senhor é reta... O conselho do Senhor dura para sempre; os desígnios do seu coração, por todas as gerações" (Salmos 33.4, 11). Deus – que nos fez e nos conhece melhor – quer que façamos de nossa casa um lar, e Ele nos ajudará a fazer isso.

14

UM CORAÇÃO QUE ZELA PELO LAR

Atende ao bom andamento da sua casa...
– *Provérbios 31.27*

Você se lembra de certos detalhes sobre os primeiros dias, semanas e meses do início da sua vida cristã? Uma de minhas recordações mais espantosas é a de negligenciar minhas tarefas domésticas para estar horas e horas estirada no nosso sofá lendo – e lendo – e lendo – toda e qualquer coisa. Ler era uma paixão para mim, uma coisa muito mais importante que um mero passatempo ou interesse. E, enquanto lia, as pequenas Katherine e Courtney – só de fraldas – perambulavam pela casa, sem supervisão, sem ensino.

Mas, graças a Deus, no momento em que Cristo entrou em nossa casa, Ele começou a realizar seu trabalho transformador! Eu comecei freqüentando um estudo bíblico para jovens casadas em minha igreja nas noites de quarta-feira. Lá, a verdade poderosa da Palavra de Deus virou meu casamento de cabeça para baixo (deveria dizer de cabeça para cima!), e lá estudei *The Happy Home Handbook,*[1] que mudaria meu coração e meu lar.

Uma vez que passei a freqüentar o estudo bíblico, usava o canto do sofá para fazer minha lição semanal. Uma das lições tinha (para mim) o estranho título "Por que trabalhar?" Então me sentei – ignorando minha casa e negligenciando meu marido e minhas filhas – peneirando minha Bíblia nova para observar as referências sobre trabalho e por que Deus o considera tão importante. Logo, peguei minha caneta marca-texto de tinta cor-de-rosa para grifar outra diretriz que Deus me deu como referência para as donas-de-casa que pertencem a Ele.

Atendendo e trabalhando

Esta diretriz foi tirada daquela graciosa descrição da mulher de Provérbios 31. O versículo simplesmente diz: "Atende ao bom andamento da sua casa e não come o pão da preguiça" (versículo 27). Lendo estas 14 palavras, de repente, eu soube que meus dias de sofá estavam contados, mas cumpri ali uma última tarefa. Peguei emprestados com Jim vários livros de referência do seminário, para descobrir o que este "atende" significava.

Aprendi que, como é usado aqui, "atende" significa "cercar, proteger, zelar", como os espinhos de uma planta, como uma mãe passarinho ou outro animal poderia fazer para proteger seus filhotes. O verbo expressa vigilância ativa, proteção, salvamento e dedicação a alguma coisa preciosa. Esse tipo de vigilância envolve observação e preservação. Uma mulher que zela pelo rumo de sua família é uma mulher que zela pelo seu precioso lar.[2] Aqui estava outro aspecto do alvo divino para mim, e compreendi que *eu era designada por Deus para zelar por meu lar e pelas pessoas que nele viviam.* Para entender melhor o significado da palavra "*atende*", vamos considerá-la no Salmo 5.3 – "De manhã, Senhor, ouves a minha voz; de manhã te apresento a minha oração e fico esperando." "Esperar" é a mesma palavra hebraica usada para "atende". O salmista ora ansiosamente a Deus pela manhã e então passa a prestar atenção, a vigiar, esperando suas orações serem respondidas.[3]

E há outra coisa! "Atende" é usado ao longo da Bíblia referindo-se a pessoas que eram enviadas para noticiar os primeiros sinais das respostas de Deus às orações.[4] No topo do monte Carmelo, por exemplo, o profeta Elias lançou-se ao chão e começou a orar. Não chovia havia três anos e meio, e ele começou a pedir a Deus para que chovesse. Enquanto orava, Elias mandou seu servo procurar no horizonte por nuvens de chuva, um sinal de que Deus estava respondendo à sua oração. Elias orou por chuva sete vezes, e o criado olhou para fora, procurando pela chuva, sete vezes – até que veio a resposta de Deus (1 Reis 18.41-44).

Quando nós oramos e quando zelamos pelo nosso lar, precisamos fazê-lo com o fervor e a seriedade de um Elias. Este e outros profetas passaram suas vidas esperando, atentos ao cumprimento das promessas que tinham proclamado por ordem de Deus. Temos de ser igualmente fervorosas ao fazermos de nossa casa um lar e cuidarmos das pessoas que o formam. Então, poderemos ver e celebrar quando Deus fizer a sua parte – a resposta, a bênção, a mudança!

Assim, quais são algumas das coisas específicas que você e eu temos de atender em nossa casa?

Talvez sua lista seja semelhante à minha. Em minha casa, sou eu que zelo pela segurança, pela saúde, pelos cuidados sanitários, pela limpeza e pela proteção. (Sempre que preciso sair, deixo instruções na porta da geladeira para lembrar Jim, Katherine e Courtney de fecharem as portas à noite, porque isso é meu trabalho quando estou em casa.) E há também o dinheiro – registrar, economizar, supervisionar, dar, gastar e fazê-lo render. Cuido também das roupas e seus reparos, das garantias de aplicação e dos contratos de serviço, do planejamento e preparação da comida. Como sou eu quem faz as compras de supermercado e abastece a despensa e a geladeira, cuido da alimentação, da seleção e dos tipos de comidas e bebidas disponíveis em casa. Examino também o calendário, atenta a eventos que possam chegar, buscando antecipar necessidades futuras. E o tempo todo estou atenta às atitudes e às necessidades de cada membro da família.

Jonathan Edwards, pregador no século 18, foi abençoado em ter uma esposa que zelava pelo lar. Ele confiava todas as coisas ao cuidado de Sarah, com completa confiança. E um exemplo particular mostra o que é uma verdadeira sentinela. Um dia, Jonathan Edwards ergueu os olhos de seus estudos e perguntou a Sarah:

– Não está chegando a hora de cortar o feno?

Porque ela era uma sentinela e uma trabalhadora, porque ela vigiava tudo o que era precioso, pôde responder:

– Já está no celeiro há duas semanas.[5]

Que bênção você pode ser para sua família se você cuidar, se você estiver atenta às várias funções da casa! E que grande forma de ser uma auxiliadora para seu marido, antecipando, percebendo e agindo nas necessidades da casa. Antes de seu marido *pensar* em alguma coisa, você já a providenciou!

Sim, mas como?

Como podemos nos colocar diante de Deus para que Ele desenvolva em nós um coração que efetivamente zele pelo nosso precioso lar? Aqui estão alguns passos que você pode dar enquanto Deus cultiva esse tipo de coração em você.

Passo 1: Entenda que o papel de ajudadora e de guardadora é plano de Deus para você – Como ilustra Provérbios 31.10-31, uma mulher segundo o coração de Deus – casada ou não – zela pelo rumo do seu lar e se recusa a comer o pão da preguiça (Provérbios 31.27). Quando percebi que estas instruções vinham de Deus – e não da minha mãe, do meu marido ou da professora de minha classe –, fui duramente atingida pela verdade, que era o de que eu precisava. E, quando pensei acerca de tudo que está envolvido na construção de um lar, surpreendi-me com a imensa responsabilidade que Deus me deu em meu lar.

Além disso, Deus me chama (e a você) para ser uma "mulher virtuosa" (Provérbios 31.10), acrescentando outro desafio ao nosso papel no lar. A palavra "virtuosa" significa possuir força moral, força de caráter. Mas um segundo significado enfatiza a habilidade e a coragem físicas. E Provérbios 31 é todo sobre uma mulher virtuosa em ambos os sentidos da palavra. Esse retrato revela sua força de caráter e excelência moral, como também a força do seu corpo – sua diligência, energia, trabalho, habilidade e realização – zelando por seu precioso lar e recusando-se a comer o pão da preguiça.

Olhando para esta mulher excelente em todo o seu esplendor, percebi que eu havia exagerado no aspecto moral da virtude e subestimado o aspecto do trabalho! E, ainda, que o trabalho de cuidar da casa é parte do plano perfeito de Deus para mim – e para você – enquanto Ele nos transforma em mulheres virtuosas. Uma vez que entendamos isso, estaremos na direção certa.

*PASSO 2: COMECE A ATENDER AO BOM ANDAMENTO DE SUA CASA (*VERSUS *COMER O PÃO DA PREGUIÇA)* – Quando aprendi sobre "atender", percebi que, na melhor das hipóteses, eu estava dando uma *ajeitada por alto* em minha casa. Meus esforços não eram nada parecidos com o que Deus descreve em Provérbios 31! Assim, tomei algumas reais – e difíceis – decisões sobre "atender" (o positivo) e sobre não comer o pão da preguiça (o negativo).

Um pouco à frente, compartilharei alguns princípios úteis sobre administração do tempo. Por ora, falarei sobre o princípio que governa todas as minhas manhãs, toda a minha vida: "Em todo trabalho há proveito..." (Provérbios 14.23). Esta porção de sabedoria ajudou-me a tornar-me mais cuidadosa e menos preguiçosa. Aqui está como coloquei isto em prática.

Ao longo do dia, digo a mim mesma: "Liz, há proveito em todo trabalho. É importante executar bem o trabalho, organizar listas: tarefa 1, tarefa 2 e tarefa 3; e, se você se mantiver agindo, tudo vai acabar sendo feito." Então, eu me mantenho em atividade todo o dia. Faço listas e preparo uma agenda geral, que pode incluir até mesmo uma pausa ou um cochilo. Desde que não seja durante a minha hora silenciosa (nossa busca de Deus precisa vir em primeiro lugar), estou ocupada com alguma coisa durante o dia todo.

Mesmo quando Katherine e Courtney eram pequenas, procurei incutir nelas este princípio. Assim, não teriam as mesmas dificuldades que eu tive. Por exemplo, elas não assistiam à televisão, a menos que estivessem fazendo também alguma coisa. Se elas estivessem assistindo à televisão, poderiam também estar organizando seus cadernos escolares, encapando livros, limpando gavetas, assando biscoitos de chocolate, pintando as unhas. Assim, diante da televisão, suas atividades começaram a se desenvolver porque há proveito em todo trabalho.

Enquanto elas estavam ocupadas em frente à televisão, eu também estava. Checava minhas receitas, planejava cardápios para a semana seguinte, lia artigos e recortava cupons no jornal, recortava artigos de revistas e, às vezes, pintava minhas unhas também.

Um dos resultados desta prática de se manter trabalhando é que nenhuma de nós tem muito prazer na televisão. Podemos assisti-la ou desligá-la a qualquer momento. Não conseguimos simplesmente ficar paradas, absorvidas por um programa de televisão. Coloquemos de outra maneira: não sabemos comer o pão da preguiça. Para nós, ele tem gosto ruim! E nós sabemos o que é trabalhar muito!

Como mostra este exemplo, os princípios de Deus foram as suas soluções para minha desorganização e ineficiência em minha casa. Eu precisei dar uma volta de 180 graus. Mas estou no caminho certo (e esperançosa de que minhas filhas também estejam), graças às instruções achadas na Bíblia. A Palavra de Deus funcionou para mim, ajudando a ajustar meu coração à vontade e aos caminhos do Senhor. Ele é fiel e fará o mesmo por você.

Passo 3: Elimine a preguiça – Não tenho certeza do lugar onde Jim encontrou esta lista de "ladrões do tempo", mas ele passou-a para mim, e eu quero transmiti-la a você. Use-a, primeiramente, para ajudá-la a identificar os ladrões do tempo em sua vida diária e, então, ajudá-la a recuperar o tempo para atender e trabalhar em seu precioso lar. Aqui estão os principais ladrões do tempo:

- Procrastinação, delongas, adiamentos
- Agenda e planejamentos pessoais inadequados
- Interrupções por pessoas sem compromissos. (Isto inclui interrupções por telefone. E, por favor, preste atenção: seus filhos não são interrupções – eles são seu melhor trabalho, o melhor investimento de seu tempo!)
- Falha no delegar tarefas
- Mau uso do telefone
- Leitura de correspondência inútil
- Falta de preocupação com a boa administração do tempo
- Falta de definição das prioridades

Que ladrão você vai aprisionar nesta semana, à medida que se torna mais alerta, mais virtuosa e zelosa por seu lar?

Resposta do coração

Ah! minha querida irmã e amiga, nós temos de orar por olhos que percebam a visão que Deus tem para nossa preciosa família e por um coração que entenda como é importante para o Senhor o que acontece em nosso lar. Infelizmente, poucas casas se têm tornado em lares que demonstram o desejo de Deus para a beleza e propósito dessa instituição.

Você vê o ideal de Deus para a vida de seu lar? Vê o valor de cada refeição preparada, de cada tapete aspirado, de cada móvel espanado, da limpeza do chão, de cada roupa lavada, dobrada e passada? Você deseja de coração pagar o preço de atender e trabalhar?

Avalie a atitude de seu próprio coração em relação a este precioso lugar que se chama lar. Você está orando – e, então, aguardando cuidadosamente pela glória das respostas de Deus? Minha amiga Ginger começou recentemente a orar por seu lar. Veja o que ela conta: "Todas as manhãs, durante o meu momento a sós com Deus, passo pela casa inteira e oro pelos cômodos, um por um. Na cozinha, oro para que todas as coisas feitas ali demonstrem meu amor por minha família. (Todas as minhas receitas foram revisadas de forma que o fruto do Espírito foi acrescentado a cada uma – uma pitada de amor, um punhado de paciência, etc.) Oro para que cada cômodo seja repleto do amor e da proteção de Deus. Deste modo, tenho uma nova perspectiva do serviço doméstico. Ele já não é mais um penoso trabalho. Posso até mesmo cantar enquanto limpo o banheiro!"

Peça a Deus que realize em você uma cirurgia que abra seu coração: peça-lhe que o abra e o encha com os desejos que Ele tem para seu lar; peça-lhe a força e a paixão para cumprir esses desejos.

15

UM CORAÇÃO QUE CRIA ORDEM DO CAOS

Quero, portanto, que as... mais novas...
sejam boas donas de casa... *[ou governem sua casa].*
– *1 Timóteo 5.14*

Eu já tinha ouvido falar sobre administração do tempo e organização, mas nunca tinha prestado muita atenção ao assunto. Sempre que estava na fila do supermercado, via alguma revista prometendo que um de seus artigos acabaria com meus problemas de administração de tempo, de uma vez por todas! E, como uma leitora voraz, passei muito tempo em livrarias, onde encontrei prateleiras inteiras de livros sobre administração do tempo e organização. Por um longo tempo, porém, não tinha tido qualquer motivação para trabalhar nessa área de minha vida.

Responsabilidade e prestação de contas

O que finalmente me motivou não foi um artigo de revista, um livro, um professor ou mesmo os argumentos de meu marido. Foi a Palavra de Deus! Continuando a leitura de minha Bíblia, usando o marcador de texto cor-de-rosa para grifar aqueles versículos com significado especial para mim como mulher, encontrei um texto que

trabalhou dentro de meu desorganizado coração. Não havia como ignorar a palavra "governa" quando li: "Quero que as mulheres mais moças [ou as mais novas]... governem sua casa" (1 Timóteo 5.14). Outras versões da Bíblia dizem: "sejam boas donas de casa" ou "administrem sua casa".[1] De qualquer modo, a mensagem era clara.

Além disso, o porquê desta declaração estava claro: As mulheres jovens da igreja de Timóteo eram "ociosas, andando de casa em casa; e não somente ociosas, mas ainda tagarelas e intrigantes, falando o que não devem" (1 Timóteo 5.13). Sua licenciosidade, seu comportamento indisciplinado, levou as pessoas de fora da igreja a pensarem e falarem mal do cristianismo (versículo 14). Obviamente, ter uma casa para administrar contribuiria positivamente para a vida daquelas mulheres, pelo menos, eliminando a oportunidade para esses comportamentos negativos.

Deus estava falando comigo! Certamente, eu era ociosa e culpada de alguns dos outros maus comportamentos mencionados nessa passagem. Estava claro que eu precisava agir e fazer algumas mudanças. Mas primeiro, para estar segura de que eu estava na direção certa, quis saber mais sobre o significado de "governar".

"Governar uma casa" significa ser o cabeça de uma casa ou dirigir uma família; orientar o lar. Quem governa é o despenseiro da casa – a dona-da-casa.[2] Contudo, esta administração inclui um tipo de responsabilidade como o trabalho que um mordomo ou um criado realizam. A mulher que governa sua casa *não* é o cabeça da casa. Seu marido, sim, se ela for casada; ou Deus, se ela for solteira. Em vez disso, ela é a dona-da-casa, a gerente da casa.

Várias parábolas de Jesus nos ajudam a entender esse tipo de administração. Em algumas dessas histórias, que ensinam lições sobre o reino de Deus, Jesus conta sobre um fazendeiro que, estando ausente, delega tarefas e os bens da casa ao seu mordomo e administrador. A mais familiar delas é a parábola dos talentos (veja Mateus 25.14-30). Ela narra a história de um patrão que, voltando de uma longa viagem, chamou todos os criados juntos e pediu contas do trabalho que esses tinham realizado enquanto ele estivera ausente. Queria saber como eles tinham administrado o que ele havia confiado aos seus cuidados.

Quer percebamos ou não, esta parábola reflete o que você e eu fazemos em casa. Diariamente, somos convocadas a administrar o que Deus nos tem confiado, o que Ele proveu pelos esforços de nosso marido e pelos nossos próprios esforços; e Ele nos entrega essa responsabilidade. Que bênção quando o servimos bem neste aspecto! E que bênção somos para nossa família quando administramos a casa adequadamente! Com propriedade, Martinho Lutero escreveu: "A maior bênção... é ter uma esposa a quem você pode confiar seus negócios."[3] Isto é o que significa governar a casa!

Sim, mas como?

Como uma mulher que quer o que Deus deseja, uma mulher que deseja a ordem em lugar do caos, uma mulher segundo o coração de Deus, administra sua casa? Deixe-me narrar a maneira como comecei a governar nossa casa.

Primeiro – Entenda que a administração do lar é o melhor de Deus para nós – Deus não está pedindo às mulheres para *gostarem* de ser governantas da casa (embora isso venha com o tempo, conforme colhemos as incontáveis bênçãos que resultam da melhor administração do lar). E Deus não está nos pedindo para *termos vontade* de cuidar de nossa casa. Ele está simplesmente nos convocando a fazer isso. A administração da casa é plano dele, é caminho dele; é a sua boa, agradável e perfeita vontade (Romanos 12.2); é o seu "ótimo" para nós. (Lembra-se da meta que me ajuda a tomar decisões? – "Bom, melhor, ótimo; nunca descanse, até que seu bom seja melhor e seu melhor seja ótimo.") Escolher governar nossa casa é escolher o "ótimo" de Deus para nós.

Segundo – Decida levar a sério a administração do lar – Por quê? Porque Deus utiliza a administração do lar como um treinamento para nossa atuação de utilidade na igreja. A maneira como mantemos nossa boa relação pessoal com Deus, a maneira devotada com que amamos nosso marido e nossos filhos e quão efetivamente administramos a casa indicam quão bem administraríamos um ministério. É verdade que o que somos em casa é o que realmente somos!

Por exemplo, se eu faço um trabalho medíocre em casa, farei um trabalho medíocre na igreja. Se eu economizo esforços em casa, farei o mesmo num ministério. Se eu administro levianamente a minha casa, exercerei levianamente a administração na igreja. Tais hábitos pobres tornam-se num estilo de vida.

Mas o oposto também é verdade: Se eu for organizada em casa, certamente serei organizada em meus ministérios na igreja. Se eu for uma boa administradora das responsabilidades do lar, provavelmente serei uma boa administradora das responsabilidades do ministério fora de casa. Jesus disse: "Quem é fiel no pouco também é fiel no muito; e quem é injusto no pouco também é injusto no muito" (Lucas 16.10).

Percebi que – embora muitas vezes eu o quisesse – não deveria sair de casa deixando-a desarrumada e sem organização e ir à igreja para exercer um trabalho ministerial. Passei a entender que Deus me encarregou da administração do meu lar e que Ele usa essa área básica de ministério para me fazer treinar a fim de atuar em outras áreas. Em casa, conforme eu tento viver de acordo com as instruções de Deus para mim, instruções que eu encontro na sua Palavra escrita, desenvolvo fidelidade e aprendo a perseguir esse alvo. Em casa, eu me torno uma despenseira fiel (1 Coríntios 4.2).

Uma vez que demonstro ser uma fiel administradora em minha casa, tenho autoridade para exercer o trabalho ministerial fora dela. Tudo está bem em casa. Todas as coisas estão sob controle. As pessoas e o ambiente foram cuidados. Minhas responsabilidades na administração doméstica estão cumpridas.

E deixe-me ser clara: Eu não estou me referindo aos anos, às décadas vividas em casa à espera de que as crianças crescessem e deixassem o lar, para depois, com menos tarefas a cumprir, podermos nos dedicar a outras responsabilidades fora dele. Esta opção não ensinaria muito aos nossos filhos sobre a importância de ser parte contribuinte do corpo de Cristo, a Igreja. Mas, se administrarmos nossa casa eficientemente (e você encontrará mais sobre isto na seção final deste livro), teremos tempo para estar envolvidas em alguma área de algum ministério na igreja.

No dia-a-dia, para mim, a administração da casa acontece quando eu organizo uma agenda. Determino o horário em que planejo fazer o serviço doméstico. Sempre reservo tempo para cultivar minha relação com Jim e com Katherine e Courtney. Embora eu não possa estar envolvida em todos os ministérios em que eu gostaria de atuar, sempre estou realizando *alguma coisa* na igreja. A ordem emerge do caos quando programamos o que é importante.

TERCEIRO – VIVA COMO SE TIVESSE DE PRESTAR CONTAS DAS CONDIÇÕES DE SEU LAR E DO USO DE SEU TEMPO, PORQUE, REALMENTE, UM DIA VOCÊ TERÁ DE PRESTAR CONTAS! – Na realidade, quando nosso marido (ou qualquer outra pessoa) entra pela porta e olha ao redor da casa, nós revelamos o que temos feito em resposta à convocação de Deus para governarmos o lar. O que as pessoas vêem quando entram em sua casa? Encontram tranqüilidade – ou caos? Paz – ou pânico? Um palácio – ou um chiqueiro? Evidências de preparação – ou procrastinação, adiamento de tarefas?

Agora, pense por um momento no que você sente quando entra em um quarto de hotel. O que agrada a você? Ordem. Tranqüilidade. Limpeza. Ainda podem ser vistas as marcas do aspirador no tapete. A cama está arrumada (e lembre-se que ela ocupa 80% do espaço visual de um quarto!) O rolo de papel higiênico foi trocado. Nenhuma TV ou aparelho de som está ligado em alto volume. Reina a ordem. Alguém fez o eficiente trabalho de administração, e seus esforços fizeram do quarto um santuário.

Hoje à tarde, Jim e eu saímos de um lugar como esse. Estivemos em um hotel durante seis dias, enquanto Jim era convocado pelo Quartel-General do Exército Los Alamitos para cinco meses de trabalho ativo. (Enquanto escrevo esta frase, ele está num avião militar, a caminho do Forte Benning, na Geórgia. De lá, irá para Wuerzburg, na Alemanha, por cinco meses. Jim exerce o ministério. Porém, desde o tempo de faculdade, ele tem sido oficial de farmácia na Reserva do Exército Norte-americano. Em mais de trinta anos, esta é a primeira vez que ele é convocado para a ativa.) De qualquer maneira, Los Alamitos também fica muito longe de casa para Jim ficar vindo e indo durante os seis dias. Daí, termos nos hospedado naquele hotel. E todo o tempo em que estivemos ali, eu tive aquela sensação de ordem, apesar de ser aquele um momento de grande caos para nossa família.

Quando saímos hoje, o recepcionista do hotel me deu um cartão para preencher, classificando as instalações e o serviço que tínhamos recebido durante nossa estada. Foi um prazer dar a pontuação máxima a todos os itens. Tínhamos sido muito bem tratados. O pessoal do hotel satisfez nossas necessidades cuidando de nosso quarto e de nossa comida e até me dando 30% de desconto nas refeições!

Preenchendo aquele cartão de avaliação, quis saber como Deus – e minha família – avaliariam meu serviço, minha comida e minha administração. Com a graça de Deus e com as técnicas de administração que aprendi e pratiquei durante anos, estou melhorando. Os métodos de Deus funcionam!

Doze sugestões para a administração do tempo

Quando Jim era seminarista, eu ia com ele para o *campus* todas as sextas-feiras e ficava o dia inteiro na biblioteca. Encontrei a seção de livros sobre administração do tempo e, sistematicamente, li cada um daqueles livros, anotando os princípios que encontrava. Então, agora, como estamos considerando a administração do tempo e a organização da casa, quero compartilhar com você meus doze princípios mais importantes para esses assuntos, aqueles que fizeram a maior diferença em minha casa, ajudando-me a criar ordem do caos.

Nº 1. Planeje detalhadamente – Tenha uma agenda e registre tudo o que for possível. Percebi que quanto mais se planeja, melhor se administra e mais se alcança. E também que, quanto mais detalhados são seus planos, melhor. Planeje duas vezes por dia – a última coisa que você faz à noite e a primeira coisa que você faz pela manhã. (Mais sobre isto no capítulo 22!)

Nº 2. Lide com o hoje – Tudo o que Deus pede de você e de mim é que lidemos com o dia de hoje, só o de hoje. O próprio Jesus disse:

"... não vos inquieteis com o dia de amanhã, pois o amanhã trará os seus cuidados; basta ao dia o seu próprio mal" (Mateus 6.34). Deus também diz: "*Este* é o dia que o Senhor fez; regozijemo-nos e alegremo-nos *nele*" (Salmos 118.24, ênfase acrescentada). Santo Agostinho parafraseou o Salmo 90.12: "Considere cada dia como se fosse o último."

Cada dia é importante em si mesmo:

- O que você é hoje é aquilo em que você está se tornando.
- Você é hoje aquilo em que se tem tornado.
- Cada dia é uma pequena vida, e nossa vida toda nada mais é que uma repetição de dias.

Nº 3. Valorize cada minuto – Saiba quanto tempo leva para realizar cada tarefa em sua casa. Você está diante de uma tarefa de dois ou de vinte minutos? Então, decida se a realização dessa tarefa é o melhor uso do tempo. E quanto vale um minuto? É de muito, de pouco ou de nenhum valor? – Depende de como você o usa.

Nº 4. Mantenha-se em atividade – Lembre-se do princípio de movimento: "Um corpo em repouso [um corpo humano ou outro qualquer corpo] tende a permanecer em repouso, e um corpo em movimento tende a permanecer em movimento." Tire vantagem dessa lei da Física. Diga a si mesma: "Só mais uma coisa... Só mais cinco minutos." Movimentando-se, você poderá cumprir, uma a uma, as tarefas de sua "lista de coisas a fazer"!

Nº 5. Desenvolva uma rotina – Ou, como diz um especialista no assunto, experimente o planejamento "horizontal": "Tentar fazer a mesma coisa no mesmo horário todos os dias conserva e gera energia. Conserva energia consumindo menos indecisão. Você executa as tarefas domésticas automaticamente. Gera energia pelo hábito – como o hábito de fazer ligações telefônicas, planejar as refeições, ler o jornal, assistir a uma aula, ou ir a uma reunião – em um horário definido."[4] Tente colocar o maior número de tarefas possível na rotina.

Nº 6. Faça exercício e dieta – Estudos mostram que os exercícios aumentam o metabolismo, criam energia, fazem dormir melhor e produzem hormônios de prazer que contribuem para atitudes positivas, alegria e entusiasmo pela vida. E não se assuste com a palavra "dieta". A palavra simplesmente significa "um estilo de vida". Desenvolva um "método de vida" que lhe dê a energia e a saúde de que você precisa para realizar o "ótimo" de Deus.

Nº 7. Faça a pergunta da "metade do tempo" – "Se minha vida dependesse de eu fazer esta tarefa na metade do tempo, que atalhos eu usaria?" Então, use-os.

Nº 8. Use um cronômetro para todas as coisas – Qualquer que seja a tarefa, use seu cronômetro ao executá-la! (Neste exato momento, eu estou sendo impulsionada pelo tique-taque de um cronômetro.) Fixar o cronômetro para "apenas cinco minutos" pode fazê-la começar; fixar o cronômetro para "terminar em cinco minutos" pode mantê-la seguindo adiante. Também, quando você ajustar o cronômetro, tente vencer o tempo. Afinal, como diz a lei de Parkinson: "O trabalho se expande para encher o tempo, permitindo a sua conclusão." O cronômetro a ajuda a gastar menos tempo. E é extremamente motivador ouvir seu tique-taque pela vida afora!

Nº 9. Execute primeiro a pior tarefa – Qual é a pior tarefa em sua "lista de coisas a fazer"? Faça primeiro essa tarefa, e você eliminará aquela nuvem negra que permaneceria o dia todo em cima de você. Use o seu cronômetro para ajudá-la a começar. E uma vez que aquela tarefa pior está cumprida, sua atitude melhorará muito, e você terá mais energia para as tarefas que sobraram.

Nº 10. Leia sobre administração do tempo diariamente – Apenas cinco minutos por dia ajudarão a motivá-la. Se você não tiver um bom livro sobre administração do tempo, comece relendo estes doze princípios todos os dias.

Nº 11. Diga "não" – Faça seu horário. Deixe que ele seja o Plano A. Então siga seu plano dizendo "não" a você mesma e aos outros. Mude para o Plano B só se Deus estiver orientando-a para fazer essa mudança.

Nº 12. Comece na noite anterior – Veja o que você pode fazer na noite anterior:

- Planeje o dia seguinte.
- Planeje a comida do dia seguinte.
- Escolha, disponha e prepare as roupas.
- Limpe a cozinha.
- Ligue a lava-louça.
- Ponha a mesa para a próxima refeição.
- Arrume a casa.
- Prepare almoços e refeições.
- Descongele a carne que vai ser usada.
- Ordene o que precisa ser lavado.
- Ponha perto da porta de saída as coisas que você precisará levar com você.

Pequenos passos como estes podem trazer grandes resultados quando eles são dados para administrar o tempo e organizar a casa. Notei também que estes pequenos passos são como uma bola de neve: uma vez que você comece, encontrará energia e entusiasmo para se manter em atividade.

Resposta do coração

Antes de deixarmos o assunto sobre organização do lar, vamos dar uma olhada no coração da casa – que é o seu coração! Qual é a sua atitude para com sua casa e seu serviço doméstico? Seu coração está em sintonia com Deus? Você está desejando o que Ele deseja para a administração e orientação de sua casa? Você deseja ser a gerente da casa que Ele quer que você seja? Você reconhece que as responsabilidades da casa cultivam um caráter melhor... que governar sua casa melhora as vidas das pessoas que moram com você... e que uma casa bem organizada serve muito melhor a Deus e às pessoas? Peça a Deus que a ajude a tornar-se uma administradora melhor – paulatinamente, mas com segurança!

16

Um coração que tece uma linda tapeçaria

...a fim de instruírem as jovens
recém-casadas... a serem... boas donas de casa...
– Tito 2.4-5

Como mulheres de Deus, você e eu somos abençoadas com a tarefa que nos foi dada por Deus de tecer uma linda tapeçaria em nosso lar. Um escritor devocional interpretou esse nobre papel como "fazer da casa, em primeiro lugar, um centro de atração por sua ordem, limpeza e conforto; depois, pela sua harmonia de paz e amor, de forma que nenhuma nota dissonante possa arruinar a música de sua alegria; e depois, pela ... segurança da economia e da honra de uma esposa que 'tece' tudo em beleza e ordem na casa."[1]

É exatamente isso que uma mulher segundo o coração de Deus tentaria alcançar, passando alegremente a sua vida! Mas, como sempre, primeiro precisamos adequar a *atitude divina* em nosso coração, se desejamos *agir* de forma que glorifique a Deus.

A beleza da ocupação

Continuar a pesquisar na Palavra de Deus estimulou meu apetite para o tipo de lar que Ele deseja para nós e para a beleza que vem quando o servimos ali. Encontrei uma mina de ouro – e usei meu marca-texto de tinta cor-de-rosa – no pequeno livro de Tito. Em Tito 2.3-5, achei outra visão para meus esforços em casa: "... a fim de instruírem as jovens recém-casadas a... serem... boas donas de casa..." (versículos 4 e 5).

Eu não sei quanto a você, mas eu tinha uma verdadeira aversão pelo termo "dona-de-casa" – até descobrir o que Deus tinha em mente. Antes disso, essa expressão soava para mim como um trabalho enfadonho de pequenas tarefas cotidianas. Mas, olhando de novo nos livros de estudo de Jim (acho que eu usei alguns deles mais que o próprio Jim!), aprendi que ser uma dona-de-casa significa ser um esteio para o lar, alguém que tem tendência para a vida doméstica, uma boa governanta e guardiã do lar.[2] Outra informação enfatizou que a esfera primária de atividade e contribuição de uma mulher é o lar,[3] e outra até concluiu que nós, mulheres, devemos ser ativas ou nos ocupar com deveres domésticos.[4] O comentário que mais mexeu com meu coração dizia que eu devo ser simplesmente uma "amante do lar".[5]

Qualquer mulher que traz em sua mente e coração o pensamento "Lar, doce lar!" se qualifica como uma amante da casa. Este termo definitivamente retrata uma *atitude* ajustada em resposta à chamada de Tito 2.5; mas tecer uma linda tapeçaria em nossa casa exige *ação*.

Para construir com sucesso o lar de meus sonhos – sonhos que para Deus são uma realidade –, tenho de estar lá, trabalhando e tecendo diariamente. Tenho de planejar o quadro e escolher as cores, linhas e texturas. Tenho de saber como quero que a tapeçaria fique quando estiver pronta e preciso prestar atenção aos detalhes durante o tempo de preparo. Este projeto exige esforço e tempo todos os dias. O esforço e a atividade – o tempo, o trabalho, o cuidado e a musculatura física e mental – se combinam para fazer uma casa bonita. A beleza vem quando sou ativa em casa, trabalhando para responder à chamada, desafio e alegria de tecer uma tapeçaria no lar.

Sim, mas como?
Como uma mulher que deseja de todo o coração fazer de sua casa uma linda tapeçaria pode começar?

ENTENDENDO A BELEZA E A BÊNÇÃO DA VONTADE DE DEUS PARA VOCÊ – Deus está nos ensinando sua vontade quando Ele nos chama para sermos donas-de-casa. E eu entendo que, se Deus me chama para servir em casa, para estar no controle das coisas, e para ver que as tarefas domésticas foram executadas, então quero fazer isso. Assim, decidi (e você deve querer fazer o mesmo) estar mais freqüentemente em casa.

Agora, *pela fé*, fico em casa com mais freqüência do que ficaria por livre e espontânea vontade, cuidando de minha casa, confiando que Deus abençoará minha obediência. Ah! eu não estou em casa o tempo todo, mas muito mais do que eu costumava ficar! E há muitas bênçãos. Para começar, quando estou em casa, estou gastando menos dinheiro. Estou também ingerindo menos calorias e economizando o tempo que levaria para ir a algum lugar de carro. E a última vantagem, pense – e Deus sabia que seria este o caso –, tem sido a sensação de bem-estar que eu tenho experimentado. Posso ver que tudo está bem em casa, tudo está sob controle. Esta realidade inestimável aconteceu simplesmente porque escolhi passar um pouco mais de tempo em casa.

Veja o que aconteceu quando uma querida aluna de minha classe "Mulher Segundo o Coração de Deus" fez esta mesma escolha:

"No passado, a cada dia surgiam muitas escolhas sobre o que fazer: quem eu visitaria, onde iria ou o que eu faria! Quando meu marido chegava em casa, ele teria sorte se encontrasse a cama feita, muito mais se achasse algo descongelado para o jantar. Eu realmente não gostava de ficar em casa, por ser uma pessoa sociável e até mesmo por colocar os amigos acima de minha família.

"Estou muito contente em dizer que Deus mudou completamente minha vida e minhas prioridades, como resultado de eu ter descoberto *seu* plano para minha vida. Agora, pulo da cama e, imediatamente, a arrumo, e estou aprendendo a estabelecer tarefas para cada dia, a fim de manter minha casa em ordem. Planejo meus cardápios duas semanas antes e agora faço o jantar antes de meu marido chegar.

"Que prazer tem sido escolher meu marido, meus filhos e minha casa antes de outras coisas, e isso traz alegria e satisfação *reais*, que eu nunca tinha sentido antes."

Não é um lindo quadro – e uma linda tapeçaria?

ENTENDENDO QUE O TRABALHO DOMÉSTICO PODE SER APRENDIDO – Infelizmente, a administração doméstica eficaz não é uma das muitas bênçãos espirituais que recebemos imediata e automaticamente quando nos tornamos cristãs. (A vida eterna, o Espírito Santo habitando em nós, o perdão por nossos pecados – para nomear algumas dessas coisas –, nós os recebemos no momento de nossa conversão.) Mas o "como" do cuidado doméstico pode ser aprendido, e as Escrituras dizem que as mulheres mais velhas na fé devem ensinar as mais jovens a maneira de desempenhar as tarefas domésticas.

Este conceito me deu muita esperança, porque – como tentei lhe dizer – eu não tinha a menor idéia de como transformar nossa casa em um lar. Então, comecei a procurar por uma dessas mulheres mais velhas retratadas em Tito 2, alguém que tivesse tudo sob controle em sua casa. Bem, graças a Deus, não precisei procurar muito longe – o marido dessa mulher era o nosso professor da Escola Dominical!

Jane é uma mulher surpreendente, evidentemente uma mulher segundo o coração de Deus. Embora sejamos da mesma idade, ela parece ter a sabedoria de uma mulher um quarto de século mais velha que eu. Observando-a, vi uma santidade que demonstrava um relacionamento cuidadosamente nutrido com Deus. Quando observei Jane com seu marido, vi uma mulher que ajudava, se submetia a ele, o respeitava e o amava. E seus dois filhos em idade pré-escolar eram obedientes, educados e estavam definitivamente sob controle!

Bem, Jim me ajudou a tomar coragem e telefonar para Jane e pedir que nos encontrássemos. Ela ficou muito contente (pude sentir em sua voz). E você sabe onde ela quis que fosse o nosso encontro? Em sua casa, onde – por ser ela uma boa dona-de-casa – tudo estava limpo, feito com eficiência, arrumado e em ordem. (Note que eu não falei em nenhum "salão de luxo, grande e suntuoso".)

Agradeço a Deus porque Jane gastou aquele tempo comigo, pois ela me deu a direção e o impulso iniciais para que eu tecesse minha própria tapeçaria.

Primeiro, nós falamos detalhadamente sobre sua vida devocional. Além de me contar exatamente o que ela estudava e como fazia isso, também me mostrou onde ela estudava e me deixou dar uma olhada em seu livro de oração.

Então, falamos sobre casamento. Ela sugeriu uma lista dos melhores livros para eu ler e, novamente, compartilhou comigo *exatamente* como tentava amar e servir a seu marido. Da mesma forma com seus filhos. Jane mostrou-me quais eram seus princípios pessoais e bíblicos para disciplina, ensino e amor no lar.

Finalmente, chegamos ao assunto sobre a casa propriamente dita, e realmente aquilo foi um presente. Jane me levou por uma excursão em sua pequena casa, abrindo armários, gavetas, guarda-roupas e portas! Fiquei muda: As partes de dentro de sua casa não se pareciam em nada com as da minha. E não me entenda mal. Jane não se estava jactando ou buscando elogio para si mesma. Estava *ensinando* (é o que a Bíblia diz que as mulheres mais velhas devem fazer com as mais jovens). Ela estava me mostrando um sistema que funcionou para ela: mostrou-me como mantinha a casa limpa num mínimo de tempo.

Ainda posso ouvir Jane me instruindo na sua cozinha. Ela se inclinou até os armários mais baixos e abriu as portas. Lá estavam os pratos! Ela explicou: "Meu princípio é 'um lugar para cada coisa e cada coisa em seu lugar'. E aqui é o lugar dos pratos e guardanapos. Bem próximo à lava-louça. Assim, quando meus filhos esvaziam a lava-louça, podem pôr os pratos aqui, na mesma altura deles. E, quando é a vez de eles arrumarem a mesa, podem pegar os pratos e os guardanapos facilmente."

Uma lição dessa não tem preço! Compreendi tudo, ouvi tudo e *vi* tudo. Essas poucas horas com Jane mudaram definitivamente minha vida!

Tenho outra amiga que me disse como limpar minha casa. Tudo começou com uma chamada para um ministério. Eu estava organizando uma reunião de planejamento para o comitê de mulheres de nossa igreja, e Beverly disse: "Não marque para sexta-feira, porque é o dia em que eu limpo minha casa!" Ela parecia tão empolgada com seus planos domésticos que eu lhe perguntei se poderia, numa sexta-feira, assistir à limpeza que ela fazia na sua casa.

Enquanto estava lá, recebi outra lição inestimável. Beverly começou com o pior – os banheiros. Eu vi exatamente como Beverly os limpou, os produtos que usou para limpá-los e sua coleção de escovas, esfregões, vassouras e panos de limpeza. Depois ela me mostrou como limpava cada cômodo – em um círculo, começando da esquerda da porta, item por item, ao redor de todo o cômodo. Ela terminava em poucos minutos!

Eu me lembro também de ler em outro livro de Anne Ortlund sobre grupos de discipulado que se encontravam (adivinhe onde?) em sua casa. Na primeira reunião, Anne compartilhou, levou o grupo pela sua casa e lhes disse: "Bem, esta é a minha casa. Esta sou eu. Sintam-se à vontade para olhar qualquer gaveta, armário, quarto ou livro. O que vocês acharem ali, serei eu. A Anne de verdade."[6]

ESTANDO EM CASA COM MAIS FREQÜÊNCIA – Meu querido marido Jim, sem saber, contribuiu grandemente para a beleza de nosso lar. Eu era uma jovem mãe com duas crianças pequenas e uma casa para cuidar. Inexperiente, eu comecei a lamentar e a chorar para Jim: "Não sei o que está errado – simplesmente não consigo terminar nada do que tenho para fazer." Bem, Jim – um especialista em administração de tempo e um homem com o dom espiritual da administração – não era a pessoa certa com quem eu deveria ter me queixado!

Primeiro, ele me disse para conseguir um calendário (uma idéia moderna!). Então, uma vez que já o tinha posto sobre a mesa da cozinha, ele disse: "Agora Liz, em que dia você tem compromisso fora de casa?" Bem, obviamente, eu disse quarta-feira. É o dia do estudo bíblico para mulheres de nossa igreja, e eu definitivamente queria – e desesperadamente precisava – estar lá!

Então Jim falou: "Muito bem! Quarta-feira é seu dia de sair. Quero que tente fazer todas as suas tarefas, saídas e visitas a amigos na quarta-feira e fique em casa o resto da semana."

Mesmo não tendo usado essas mesmas palavras, tudo o que ele disse tornou-se suporte para a minha vida. Mas, ah! quantas vezes, desde então, agradeci a Jim – e a Deus – aquela orientação. Seu pequeno conselho mudou minha vida e ajudou a transformar nossa casa em uma tapeçaria de beleza.

Só mais tarde, encontrei um provérbio que fala do valor do conselho de Jim: "A sabedoria é o alvo do inteligente, mas os olhos do insensato vagam pelas extremidades da terra" (Provérbios 17.24). Em outras palavras, a sabedoria vê o que está à nossa frente, as coisas que estão a poucos passos adiante de nós – e uma dessas coisas é a nossa casa. A mulher sábia percebe o valor de estar em casa. Mas a tola (o que eu era) está sempre procurando "lá fora" (no mercado, nas lojas, na casa de uma amiga, etc.) satisfação, estímulo, atividade e significado.

Sou tão grata por meu sábio Jim ter ajudado a estruturar minha vida de forma que eu pudesse estar ocupada em casa, usando meu tempo e energia para tecer algo bonito, algo de valor eterno. Até hoje, ainda sigo esse plano semanal, de sair às quartas-feiras, pois funcionou muito bem para mim.

Quero dizer rapidamente que eu também tenho experimentado uma variedade de estilos de vida. Já fui secretária-executiva em tempo integral, professora em tempo integral, professora em escola noturna, mãe que permanecia em casa, professora em meio período e contadora em meio período em casa.

Agora, trabalho além do tempo integral, ajudando a administrar tudo o que está envolvido no Ministério de Desenvolvimento Cristão, o ministério que meu marido e eu começamos. Além disso, viajo quase todo fim de semana para fazer palestras... e tento escrever diariamente. Meus dias começam cedo e vão até tarde da noite, pois não tenho só o meu "trabalho" para fazer, mas ainda dou duro, deixando Deus me usar para tecer sua beleza na tapeçaria de nosso lar. Qualquer que seja o meu "trabalho", meu marido, minhas filhas e minha casa serão sempre a maior e mais importante prioridade para mim. Meu trabalho e meu ministério estão muito abaixo na lista das prioridades de Deus para mim. (Veremos mais sobre isto depois.) Próximo do topo está ser uma amante da casa, uma dona-de-casa.

Afinal de contas, ninguém é responsável por cuidar da casa dos George (das pessoas e também do lugar), a não ser eu. Assim, eu tenho dito "não" a muitas coisas que eu realmente gosto de fazer, a fim de poder ter tempo em casa para trabalhar em minha tapeçaria de beleza. Raramente saio para almoçar fora. Faço compras pelo correio, quando o faço. Deixei de manter longos papos pelo telefone. Tive até de diminuir minha leitura para fazer o que é realmente essencial. Todas essas mudanças (e outras) vieram quando decidi passar mais tempo em casa.

Já falei que eu era uma leitora voraz, e um dos livros de administração doméstica que li tinha um capítulo com um título que achei engraçado: *This Little Piggy Stayed Home!* ["Este porquinho esteve lá em casa!"]. Isto não diz tudo? Eu assisti às duas autoras desse livro, as "irmãs precavidas", dando uma entrevista no programa *The Today Show*, da NBC, sobre os princípios do seu *best-seller*. O princípio mais importante é: "Nunca saia de casa antes de fazer toda a... tarefa do dia." Não há outro modo de ter uma casa em ordem, a não ser cumprindo este conselho. Mas isto requer uma coisa: Você terá de gastar algum tempo em casa para ter a tarefa diária realizada!

ORGANIZANDO SUAS SAÍDAS – Levou algum tempo, mas percebi logo que não poderia, por exemplo, apenas sair para ir à lavanderia. Em vez disso, entendi, pela primeira vez, que eu deveria aproveitar para parar na lavanderia quando estivesse resolvendo meus outros afazeres de rua. Desenvolvi uma rotina prática de "percurso" que cobria todas as minhas incumbências – a lavanderia, *e* o correio, *e* o banco, *e* o supermercado *e* qualquer outra parada necessária.

Certa manhã, enquanto estava na lavanderia, vi um exemplo máximo dessa prática de "percurso". Um fusca parou (na faixa de bombeiros!) e a mulher que o dirigia pulou do carro sem nem mesmo desligar o motor. Pegou as roupas sujas dentro do carro e lançou-as no balcão, enquanto o balconista correu para buscar as limpas. Depois saiu correndo para a próxima parada de sua lista. Agora, imagine isto: Ela estava usando um terno social, um par de tênis para correr atrás de seus deveres – e o cabelo com rolinhos! Eram 8h15 da manhã, e essa mulher estava correndo atrás de suas incumbências no "percurso" do trabalho.

Talvez, como aquela mulher, eu tenha lido muitos livros com orientações específicas para mulheres que trabalham fora. O principal conselho desses livros tem a ver com o uso do tempo discricionário – o tempo que pertence ao empregado e pode ser usado do modo que ele quiser. O tempo discricionário inclui a hora do almoço: Uma mulher que trabalha fora pode passar a hora do almoço em conversas despreocupadas, ouvindo comentários e reclamações, ou pode utilizá-la (como os livros sugerem) indo ao correio, ao supermercado fazer compras de não-perecíveis, ou fazendo uma série de outras coisas que possibilitam que ela *vá para casa* quando o trabalho tiver acabado.

Se você trabalha fora, considere estas duas formas de melhor se organizar, para assim poder passar mais tempo em casa: Resolva as coisas de rua no percurso do trabalho para casa, e vice-versa, e use sua hora de almoço! Você estará mais contente quando chegar em casa e então será mais capaz de ser o tipo de dona-de-casa que você e Deus querem que você seja.

Resposta do coração

Agora, querida amiga tecelã, guarde os ensinos do Senhor no coração. Você aprecia sua casa? É ele o "lar, doce lar" para você? E quando você está longe de casa, tem saudades? Seu coração está verdadeiramente centrado em seu lar? O lugar e as pessoas em sua casa são mais importantes do que qualquer um ou qualquer outra coisa?

Quando respondi à convocação de Deus para governar minha casa e a perguntas como estas, há muitos anos, escrevi uma lista de "eu vou" sobre meu "lar, doce lar". (Antes, eu tinha passado pelo livro de Salmos, anotando todos os "eu vou" do salmista.) Chamei este acordo com Deus de "O Coração de uma Dona-de-casa". Você notará que ele toca em muito do que você tanto leu.

1. Eu vou me levantar antes de minha família para me preparar espiritual e fisicamente.
2. Prepararei o café da manhã para minha família e me sentarei com eles enquanto comem.
3. Trabalharei diligentemente para que todos os membros de minha família saiam de casa de bom humor.
4. Consultarei meu marido diariamente para ver se há algo especial que ele deseja que eu faça para ele.
5. Manterei a casa em ordem.
6. Responderei positivamente.
7. Satisfarei as necessidades de meu marido.
8. Colocarei meu marido à frente de minhas filhas.
9. Receberei e cumprimentarei pessoalmente cada membro da família quando este chegar em casa.
10. Serei previsivelmente feliz.
11. Prepararei refeições gostosas e especiais para minha família.
12. Farei do jantar um momento especial.
13. Crescerei, cada dia, nas áreas do Senhor, do casamento, da família e do cuidado do lar.

O seu coração é o coração de uma dona-de-casa? Se não, peça a Deus por seu toque transformador. Enquanto Ele lhe dá poder para obedecer, lhe dará alegria para realizar a tarefa para a qual Ele a convoca e aumentará a beleza da tapeçaria que você está tecendo.

17
UM CORAÇÃO FORTALECIDO PELO CRESCIMENTO ESPIRITUAL

Crescei na graça e no conhecimento
de nosso Senhor e Salvador Jesus Cristo.
– 2 Pedro 3.18

Tenho certeza de que, como eu, você pode dizer que o livro de Provérbios é um deleite. Eu amo a sabedoria renovadora de Deus e amo a mulher retratada no final desse livro, no capítulo 31 (versículos 10-31). Sempre que leio esses versículos, essa mulher excelente me faz lembrar de um relógio. Do lado de fora, vemos suas mãos se movendo. Testemunhamos toda a sua atividade nesses 22 versículos, sua ocupação ao cumprir as tarefas que Deus lhe dá como esposa, mãe e dona-de-casa. Mas há algo do lado de dentro, algo no profundo do seu coração, que a faz funcionar, movendo-a para a frente, energizando seus esforços e motivando sua atividade.

Você e eu precisamos desse mesmo "algo" interno, dado por Deus, para dar poder às nossas ações como mulheres segundo seu coração. Conforme seguimos buscando cumprir as tarefas de Deus para nós como mulheres – quer sejamos casadas ou não, quer sejamos mães ou não – tem de haver um motivador dentro do nosso coração, ou não nos tornaremos mulheres segundo o coração de Deus. Se não há nada dentro de nós, sem o Espírito de Deus em nós, não conseguiremos nos manter em ação. Não encontraremos força para levar adiante a Palavra de Deus e a sua vontade com fidelidade. Não seremos capazes de terminar o caminho que começamos!

Bem, tenho aprendido o que nos mantém renovadas, entusiasmadas e incentivadas em nossa busca de santidade – é o crescimento espiritual. Nosso crescimento espiritual em Jesus Cristo – crescer para ser cada vez mais como Ele é – fortalece o coração, nos satisfaz e nos dá poder para obedecer a seus mandamentos.

Crescimento espiritual: começa em Jesus Cristo

Você e eu temos duas opções para vivermos nossa vida: com Jesus Cristo ou sem Ele. É uma situação clara, definida, como o preto e branco: ou um ou outro. A Bíblia diz: "E o testemunho é este: que Deus nos deu a vida eterna; e esta vida está no seu Filho. Aquele que tem o Filho tem a vida; aquele que não tem o Filho de Deus não tem a vida" (1 João 5.11-12). Como nos dizem as Escrituras, *não* há vida sem Jesus Cristo!

Esta é a condição assustadora que eu vivi durante 28 anos. Cresci em uma casa maravilhosa, com pais amorosos que foram fiéis em me levar à igreja e me apresentar a verdade de Deus, ali e diariamente em casa. Mas havia várias lacunas, vários conceitos fundamentais que estavam faltando em minha compreensão espiritual.

Uma delas era a falta de conhecimento preciso a respeito de quem é Jesus Cristo. Eu o amava e acreditava que era o Filho de Deus, mas nunca compreendera que, sendo Ele o *Filho de Deus*, *era* o próprio Deus! Apenas lendo eventualmente um livro repleto de claros ensinamentos das Escrituras foi que eu comecei a entender que Jesus era Deus em carne, que viveu na terra, e morreu em uma cruz para salvar os pecadores como eu e nos dar a vida eterna.

A segunda lacuna era a falta de uma compreensão bíblica acerca do pecado. Ainda me espanto quando penso em todos esses anos em que verdadeiramente amei a Deus, amei a Jesus, amei a Bíblia, acreditei no Espírito Santo e nos milagres da Bíblia e até mesmo orei. Eu era uma pessoa "boa" (não roubava, nem matava), e pensava que era só isso que importava. Não tinha nenhum esclarecimento sobre o pecado pessoal (Romanos 3.23). E, como "eu não pecava" – vem a lógica –, não precisava de um Salvador!

Já lhe falei um pouco sobre minha vida anterior – que Jim e eu começamos nosso casamento sem Deus, que eu me aventurei por um caminho que me conduziu para longe de meu marido e de minhas filhas. Um dia, parada no meio da cozinha com a pequena Katherine pendurada em uma perna e Courtney, a menor, na outra, elevei as mãos para cima e gritei: "Tem de haver melhor vida do que isto!" Ouvindo este grito de desespero, Deus começou a me mover em sua direção e a um completo conhecimento dele, de seu Filho *e* do meu pecado. Quando Ele terminou, percebi afinal que *eu precisava de um Salvador*! E o que achei em Jesus, meu Salvador?

UM NOVO COMEÇO – Quando você e eu conhecemos a salvação de Jesus Cristo, recebemos um novo começo, um começo restaurado, perdão para o passado, sabedoria para lidar com a vida e poder para fazer o que é certo. O apóstolo Paulo explica isso: "se alguém está em Cristo, é nova criatura; as cousas antigas já passaram; eis que se fizeram novas" (2 Coríntios 5.17).

AMOR E ACEITAÇÃO DE DEUS – Sempre que estou triste, desanimada, em dúvida, deprimida, derrotada ou desalentada (alguém me falou, uma vez, que todas estas palavras com "d" são do diabo!), eu paro e me lembro: "Não importa o que aconteça, não importa a maneira como a vida se lhe apresente, não importa o que você esteja sentindo, você é aceita pelo Amado – e nada mais importa!" Realmente, Deus "nos *aceita* no Amado" (Efésios 1.6, ênfase acrescentada)!

PODER DE DEUS PELO ESPÍRITO SANTO – Você consegue imaginar ter o poder de Deus trabalhando em sua vida? Quando Cristo é o seu Salvador, isto é o que acontece: Deus lhe dá poder pelo Espírito Santo para fazer o bem, para efetuar mudanças em sua vida, para valorizar sua vida, para ajudar outros e para ministrar para Cristo. Jesus disse: "... recebereis *poder*, ao descer sobre vós o Espírito Santo" (Atos 1.8, ênfase acrescentada).

TOTAL SUFICIÊNCIA DE DEUS – Não importa qual seja o problema, a barreira, a luta, o sofrimento por que você passa, Deus promete: "A minha graça te basta" (2 Coríntios 12.9). Quando você está enfrentando uma tentação, um casamento difícil, problemas com filhos, necessidades em casa, desafios pessoais, um ministério complicado ou qualquer outra situação difícil, Deus promete: "A minha graça te basta."

Crescimento espiritual: a busca de conhecimento

Além de ser nosso Salvador, Jesus é nosso modelo para vivermos uma vida que agrada a Deus. Quando observamos sua vida, vemos que "E crescia Jesus em sabedoria" (Lucas 2.52). Um dos provérbios (um constante desafio para mim) reflete a importância de tal crescimento: "O coração sábio procura o conhecimento, mas a boca dos insensatos se apascenta de estultícia" (Provérbios 15.14). Em outras palavras, uma pessoa inteligente busca o conhecimento, mas os tolos lambiscam a esmo, ociosamente, mascando palavras e idéias sem valor, sem sabor e sem nutrição.

Com o que você e eu estamos alimentando nossa mente? Estamos atendendo à advertência bíblica sobre o perigo de colocar "lixo para dentro, lixo para fora"? Devemos *propositadamente* buscar o conhecimento e estar vigilantes contra o uso do tempo precioso em coisas que não têm valor. Um caminho que uso para manter minha mente vigilante é seguir o conselho de uma mulher especial, conselho que deu base para ensinos, livros, materiais didáticos e ministério. Ela me disse: "Liz, você tem de ter cinco arquivos espaçosos!"

CRIE CINCO ARQUIVOS ESPAÇOSOS – Provavelmente, você esteja tão confusa quanto eu fiquei quando a ouvi pronunciar essa expressão – arquivos espaçosos. Assim, deixe-me explicar. Mas antes que eu o faça, dê o primeiro passo e compre cinco pastas para arquivo.

SELECIONE AS CATEGORIAS – Depois, selecione cinco áreas de sua vida em que você gostaria de se tornar uma especialista e designe um arquivo para cada uma delas. Uma palavra de precaução: escolha áreas de domínio espiritual. Lembra-se do provérbio? Você não vai querer manter buscas que não têm valor. Ao contrário, escolha objetivos de valor eterno. Para ajudá-la a determinar essas cinco áreas, responda às perguntas: "Por que característica pessoal você gostaria de se tornar conhecida?" e "A que temas ou assuntos você quer que seu nome seja associado?"

Por exemplo, eu tenho uma amiga cujo nome muitas pessoas associam à oração. Sempre que precisamos de alguém na igreja para ensinar sobre oração, para dirigir um dia de oração para as mulheres ou para abrir uma reunião com uma oração de adoração, automaticamente todos pensam nela. Por mais de 20 anos, ela tem estudado o que a Bíblia ensina sobre a oração, olhando de perto cada homem e cada mulher da Bíblia que se destacou pela oração, lendo sobre a oração e orando! A oração é, definitivamente, uma de suas especialidades, um de seus cinco arquivos espaçosos. Outra amiga é conhecida pelo seu conhecimento da Bíblia. Sempre que as mulheres da igreja precisam de alguém para conduzir uma pesquisa na Bíblia ou fazer uma avaliação sobre os profetas, nós chamamos Betty. Ainda outra amiga fala a grupos na igreja sobre administração de tempo. Estas três mulheres se tornaram especialistas.

Por anos, copiei a lista dos arquivos espaçosos que minhas alunas têm feito. Vou compartilhar alguns dos temas que neles encontrei para estimular seus pensamentos. Eles vão de práticos – hospitalidade, saúde, criação de filhos, cuidado com a casa, métodos de estudo bíblico – a teológicos – atributos de Deus, fé, fruto do Espírito. Incluem áreas de ministério – aconselhamento, ensino, serviço e ministério com mulheres – bem como áreas do caráter – vida devocional, heróis da fé, amor, virtudes da bondade. Eles giram em torno de estilos de vida – ser solteira, ser mãe, organização, viuvez, o lar do pastor – e, particularmente, voltados para assuntos de âmbito pessoal – santidade, autocontrole, submissão, satisfação. Você não gostaria de assistir a uma aula ministrada por estas mulheres daqui a dez anos – ou ler os livros que elas podem eventualmente escrever? Afinal de contas, o crescimento espiritual pessoal serve como preparação para o ministério. Serve para abastecê-la primeiro, *de forma que* você tenha algo a dar no ministério!

ENRIQUEÇA OS ARQUIVOS – Agora, comece a colocar informações em seus arquivos. Eles vão aumentar, conforme você seguir a exortação de "ler tudo sobre (seu) assunto... artigos, livros, revistas especializadas e recortes de notícias... assistir a seminários... ensinar sobre o(s) assunto(s)... passar tempo com as melhores pessoas no assunto, captando suas idéias... pesquisando e aprimorando sua especialidade."[1]

O mais importante: leia sua Bíblia para ver primeiramente o que Deus diz sobre suas áreas de interesse. Afinal de contas, os pensamentos dele são o conhecimento básico que você quer. Eu codifico minha Bíblia. Você sabe que eu uso o cor-de-rosa para realçar as passagens de interesse para mulheres, e não se surpreenderá em saber que um de meus cinco arquivos espaçosos é "Mulheres". Além de marcar essas passagens em cor-de-rosa, coloquei um "M" na margem ao lado delas. Qualquer coisa em minha Bíblia que se relacione a mulheres, esposas, mães, donas-de-casa ou mulheres da Bíblia tem um "M" ao lado. Fiz o mesmo com "E" para ensino. "AT" para administração de tempo, etc. Uma vez que você escolhe suas áreas e define um código para cada uma delas, garanto que ficará tão entusiasmada e motivada que acordará *antes* de o despertador tocar, ansiosa para abrir a Palavra de Deus, com a caneta na mão e procurando a sabedoria do Senhor acerca das áreas em que você quer se aprofundar!

E, enquanto busca conhecimento sobre seus cinco objetivos espirituais, lembre-se que você está trabalhando nesse crescimento pessoal para poder auxiliar aos outros. Recentemente, eu mesma firmei um compromisso com Deus em relação a assuntos eternos. Foi o culto memorial da mãe de Jim que me fez refletir melhor. Como lhe falei antes, Lois exemplificava esta frase: "Apenas uma vida, e essa logo passará; só o que é feito para Cristo durará." Cada manhã, Lois enchia sua mente com as coisas de Deus e então passava o resto do dia permitindo que aquilo que a abastecia preenchesse outros no ministério.

Nós somos salvas para servir (2 Timóteo 1.9), e servir requer que estejamos cheias de coisas eternas, coisas que valham ser compartilhadas.

Crescimento espiritual: a mordomia do corpo

Você pode estar esperando que este assunto não seja apresentado, mas a Bíblia fala que a maneira como lidamos com nosso corpo afeta nosso ministério e a qualidade de nossa vida. O apóstolo Paulo coloca isso assim: "Mas esmurro o meu corpo e o reduzo à escravidão, para que, tendo pregado a outros, não venha eu mesmo a ser desqualificado" (1 Coríntios 9.27). O objetivo da área física é a disciplina, o autocontrole, o qual é um dom da graça de Deus (Gálatas 5.23). O Espírito do Senhor em nós nos dá força para resistir à tentação, para controlar nosso apetite, em vez de permitir que ele nos controle, sacrificando o nosso corpo em obediência.

Toda vez que pergunto a uma mulher que está desfrutando uma vida de energia e ministério como ela consegue fazer isso, eu me assusto um pouco quando ela responde com as duas palavras previsíveis – *dieta* e *exercício*. Se o objetivo é uma qualidade de vida preenchida com dias de qualidade e serviço a Deus, a atenção ao corpo é fundamental!

Crescimento espiritual: tornando-se igual a Jesus

Jesus cresceu não só em sabedoria (a mente) e estatura (o corpo), mas Ele também cresceu em graça diante de Deus (Lucas 2.52). Ah! ser como Jesus! Como você e eu poderemos crescer nessa direção?

AMPLIE SEU CONHECIMENTO – Como temos visto, Jesus é o nosso modelo. Deus deseja que sigamos os passos de Jesus e cresçamos no conhecimento de Deus (Colossenses 1.10), como também na graça e conhecimento de nosso Senhor e Salvador Jesus Cristo (2 Pedro 3.18). Como a oração de Paulo pela igreja em Filipos, nossa oração por nós mesmas deveria ser que nosso "amor aumente mais e mais em pleno conhecimento e toda a percepção" (Filipenses 1.9). E deveríamos estar fazendo alguma coisa com todo esse conhecimento: ser *praticantes* da palavra e não somente ouvintes... (Tiago 1.22)!

TENHA UM PLANO – Crescer em conhecimento é muito parecido com ter o jantar na mesa. Você tem de ter um plano. Quando vai fazer o jantar, você sabe que tem de fazer certas coisas, em determinada hora, se sua família vai se sentar à mesa às 18 horas. Igualmente, quando você está ampliando seu conhecimento de Deus, você tem de fazer uma coisa (sentar-se), em um determinado lugar (o seu lugar), com determinados itens (caneta, papel, diário de leitura, guia de estudo, e tudo o de que precisar) em determinada hora (a sua hora). Quando você fizer isso, desfrutará de um banquete de Deus e de sua Palavra!

FAÇA ALGUMA COISA – Então, desenvolva um plano, lembrando-se de que *alguma coisa é melhor que nada*. O importante é fazer alguma coisa. Mantenha um registro de seu tempo com Deus para seu próprio encorajamento e controle. Eu me lembro que apanhei meu registro, certo dia, pensando: "Foram só alguns dias, Deus", e descobri que tinham sido duas semanas em que tinha feito "alguma coisa" nesse sentido!

Crescimento espiritual: a dádiva da comunhão

Conforme Jesus se desenvolvia, Ele também "crescia em graça diante dos homens" (Lucas 2.52). Experimente estas três maneiras de melhorar sua relação com as pessoas.

CUIDE DE SUA MENTE – Isso é inevitável. Suas ações revelarão sua atitude para com as pessoas. Esta também é a mensagem de outro provérbio: "Porque, como imagina em sua alma, assim ele é" (Provérbios 23.7). Pensamentos críticos, negativos, prejudiciais e ciumentos não só vão contra a Palavra de Deus (Filipenses

4.8), mas também produzem ações críticas, negativas, prejudiciais e ciumentas. Assim, treine-se para pensar em coisas amorosas, positivas e doces, quando pensar nas pessoas.

CUIDE DE SUA BOCA – Nossas relações com as pessoas melhoram quando seguimos os passos da mulher de Provérbios 31, que "Fala com sabedoria, e a instrução da bondade está na sua língua" (Provérbios 31.26). Se os seus pensamentos não fossem sábios ou bondosos, sua boca estaria fechada!

CUIDE DE SUAS ATITUDES – A forma número um para agradar a Deus e ser aprovada é servindo em tudo. A tarefa recebida de Deus para servir é dar honra e preferência aos outros (Romanos 12.10). Considerar os outros mais importantes que você lhe dará a mente e o sentimento de Cristo (Filipenses 2.4-5).

Você e eu devemos voltar nossa visão para longe do nosso próprio ego; devemos dirigi-la para os outros. Para fazer isso, por mais fácil que pareça, temos de treinar a nós mesmas para, por exemplo, deixar de falar de nós mesmas (e de nossos filhos) e perguntar sobre a outra pessoa. Pode ser que tenhamos também de aprender algumas boas maneiras, porque o amor tem boas maneiras (1 Coríntios 13.5).

Eu aprecio o que Anne Ortlund diz. Primeiro ela escreve: "Há dois tipos de personalidades neste mundo, e você tem um desses dois tipos. As pessoas podem dizer qual é, assim que você entra em uma sala: sua atitude diz uma ou outra coisa: 'Aqui estou eu' ou 'Aí está você'." Então, ela ilustra este último tipo de personalidade descrevendo "uma mulher havaiana que faz vários colares de flores logo cedo, nas manhãs de domingo, sem pensar particularmente em alguém! Então vai à igreja orando: 'Senhor, quem precisa de meus colares hoje? Um visitante? Alguém desencorajado? Conduze-me às pessoas certas.'"[2]

Você é uma pessoa do tipo "Aí está você", procurando ao redor como pode encorajar alguém com o amor de Deus? Ele pode fazer isto acontecer conforme você deixar que Ele cultive em sua vida uma mulher segundo o seu coração.

Resposta do coração

Que alegria! Como mulheres cristãs, você e eu somos abastecidas com toda sorte de bênçãos espirituais (Efésios 1.3). Somos cheias com a bondade de Deus (Gálatas 5.22-23) e o Espírito de Deus (Gálatas 4.6). Recebemos também dons para o ministério (1 Coríntios 12.7-11; Romanos 12.6-8). Agora que temos sido abastecidas pelo que de melhor Ele nos dá, Deus quer que compartilhemos essas bênçãos com os outros, que invistamos nossas vidas em outros corações, que repartamos aquilo que dele recebemos. É por isso, querida amiga, que você e eu devemos investir no crescimento espiritual.

Como o crescimento espiritual é fundamentado em Jesus Cristo e capacitado pelo Espírito Santo, eu lhe pergunto: "Jesus é o seu Salvador? Ele vive em seu coração?" Afinal de contas, a sua presença é o que faz de você uma mulher segundo o coração de Deus! Você desfruta da segurança da vida eterna? Deus prometeu que "a todos quantos o receberam, deu-lhes o poder de serem feitos filhos de Deus, a saber, aos que crêem no seu nome" (João 1.12) e "que todo o que nele crê não pereça, mas tenha a vida eterna" (João 3.16).

Como membro da família de Deus, você também recebeu a mente de Cristo (1 Coríntios 2.16). Você tem enchido propositadamente sua mente com o conhecimento da Palavra de Deus, conhecimento que pode transmitir aos outros? O seu corpo pertence a Deus, para ser adornado, cuidado e disciplinado para a máxima utilidade e para a glória do Senhor? E você tem cultivado amor pelos outros – pensando, falando e agindo para com eles como Jesus faria?

Deus nos chama para amá-lo, primeiro e principalmente, com todo o coração, alma, força e mente (Lucas 10.27) e para deixar este rico amor que desfrutamos nele transbordar para nosso próximo, na vida dos outros (Lucas 10.27). É por isso que um coração fortalecido pelo crescimento espiritual no Senhor é tão importante.

18

Um coração enriquecido pelo regozijo no Senhor

...para que sejais tomados de toda a plenitude de Deus.

– Efésios 3.19

Numa manhã de domingo, parei no pátio da igreja para conversar com uma velha conhecida. Durante os 23 anos em que tenho estado nessa igreja, Sharon tem ajudado mulheres como eu a crescer nas coisas do Senhor e a viver as prioridades dele. Sharon tem sido uma piedosa senhora, como a descrita em Tito 2.3 – uma bênção para muitos.

Enquanto conversávamos naquela manhã, ela parecia elétrica – iluminada, reluzindo, transbordando frescor. Tudo em Sharon naquele dia comprovava a vitalidade que ela possuía no Salvador e sua busca, de todo o coração, em estar crescendo continuamente nele. Ainda posso ver seu sorriso largo e brilhante e seus olhos luminosos refletindo sua energia interior. Muito entusiasmada, entremeava involuntariamente suas palavras com gestos e movimentos.

Por que ela estava tão entusiasmada? Bem, Sharon estava esperando ouvir um orador muito especial no dia seguinte. Ela quase não podia esperar. E, julgando por sua alegria, aposto que ela não dormiu aquela noite! Suas palavras "saltitavam" enquanto ela explicava que já tinha assistido a um seminário de fim-de-semana conduzido por esse senhor e que tinha sido o mais empolgante final de semana de sua vida, a coisa mais estimulante que já fizera. Esse professor tinha levado Sharon a um novo aprofundamento na Palavra de Deus, no seu entendimento dos caminhos do Senhor e no seu ministério. Enquanto ela falava, eu sabia que estava diante de uma mulher que crescia no conhecimento e no amor de Deus. Que maravilha ela estar tão contente e entusiasmada! Que maravilha ela ter tanto a dar aos outros! Que maravilha eu me sentir abençoada pelo seu ministério restaurador.

Outra mulher como Sharon em minha igreja é uma mulher que aprecia muito a leitura. Eu nunca a vi sem que ela estivesse carregando, além da Bíblia, outro livro. Sempre que nos falamos, ela pergunta: "Oh! Liz, você já leu este livro? Você precisa lê-lo." E começamos uma esplêndida conversa sobre suas mais recentes descobertas e sobre por que aquele livro é particularmente tão importante para nós, como cristãs. Outra vez, sou abençoada por seu ministério restaurador.

Espero que você perceba quão estimulante são estas mulheres e como me incentivam em meu próprio crescimento espiritual. Estas duas mulheres segundo o coração de Deus estão vivas e crescendo! Suas vidas e corações são contagiantes e estão sempre me desafiando e motivando. É impossível estar com elas sem sofrer sua influência. A alegria que elas têm recebido com o crescimento no Senhor resplandece, e todos que chegam perto dessas mulheres recebem algo da plenitude de suas vidas.

Mais do que desejar que você alcance o senso de mulheres como estas, eu espero que Deus coloque algumas pessoas como essas em sua vida. Mas meu mais profundo desejo, minha mais profunda oração por você (e por mim, também!) é que você *se torne* esse tipo de mulher. Enquanto Deus a transforma em uma mulher segundo o seu coração, nunca faltará em você a alegria do Senhor ou o cumprimento de um ministério em seu reino!

No capítulo anterior, começamos a planejar uma vida de crescimento espiritual que conduziria ao ministério com outras pessoas. Já sabemos que, quando nada entra, nada pode sair. Então, se você e eu pretendemos desenvolver um ministério efetivo para alcançar os outros, devemos primeiro estar abastecidas. O que você pode fazer para ser cheia de toda a plenitude de Deus, de forma que Ele possa usá-la no ministério? Aqui estão algumas sugestões.

Crescimento espiritual: auxiliado pelo discipulado

O plano ideal de Deus para nós como mulheres cristãs – e outro aspecto da tarefa que Ele tem para nós – é que ensinemos a outras mulheres as "coisas boas" que temos aprendido, que nós as discipulemos, que passemos adiante tudo aquilo que Deus nos tem ensinado (Tito 2.3-4).

A palavra "discipulado" pode nos lembrar várias situações diferentes. Freqüentemente, essa palavra nos faz lembrar as reuniões semanais, encontros individuais, por anos e anos, com alguém mais experiente. Isso seria maravilhoso, mas, para a maioria das pessoas, não é uma realidade nem mesmo uma possibilidade. Nós podemos, porém, escolher algumas alternativas enriquecedoras, se realmente quisermos crescer.

As *classes* existem para serem freqüentadas. Igrejas em toda cidade oferecem estudos bíblicos e classes de estudo bíblico. Cursos por correspondência estão também disponíveis.[1] Tudo o que você e eu temos de fazer é nos inscrever, fazer o trabalho e deixar que Deus nos faça crescer!

Livros de discipulado também nos oferecem outro caminho para o crescimento. *Friendship Evangelism* lhe ensinará como criar amizades por causa do Evangelho.[2] *Discipleship Evangelism* lhe mostrará como compartilhar sua fé.[3] *Learning to Lead*, o currículo para esposas de alunos do Curso de Mestrado do Seminário, lhe ajudará a desenvolver a habilidade de ministrar a mulheres.[4] Como este, os livros de minha autoria *Loving God with All Your Mind* e *God's Garden of Grace: Growing in the Fruit of the Spirit* (ambos da Harvest House Publishers) contêm guias de estudo pessoal, crescimento e discipulado.[5]

Aconselhamento com outros cristãos é também uma forma válida de discipulado. Se você está enfrentando algum problema, consulte uma pessoa cristã de sua confiança – e você perceberá a perspectiva de Deus e receberá o apoio de que precisa em oração. Mesmo que você não possa assistir a uma aula ou se encontrar com alguém para discipulado, sempre pode pedir conselhos.

Entrevistar outras mulheres cristãs é um de meus métodos favoritos para ser discipulada. Quando Deus enviou uma fiel e experimentada senhora para minha igreja, eu observei sua vida e vi claramente que ela nunca poderia assumir o compromisso de ter uma série de sessões de discipulado comigo. Assim, fiz uma lista com todas as perguntas que gostaria de lhe fazer e marquei uma entrevista com ela. Nós nos encontramos apenas uma vez, mas aquelas duas horas preciosas que ela me cedeu foram transformadoras! Muito da minha filosofia de ministério e das coisas que eu ensino (incluindo meus cinco arquivos espaçosos) são resultado direto daquele tempo abençoado na presença dessa mulher, sorvendo de sua sabedoria.

Observação é outra forma bíblica de crescimento. Afinal de contas, "O ouvido que ouve e o olho que vê, o Senhor os fez, tanto um como o outro" (Provérbios 20.12). Assim, esteja certa de estar observando, observando, observando! É um grande modo de aprender. De fato, a professora de estudos bíblicos Carole Mayhall diz que uma das maneiras de aprender a se submeter, respeitar e apoiar seu marido é observar outras mulheres. Para admirar seu marido, por exemplo, "tenha uma lista de como outras mulheres demonstram admiração por seus maridos".[6] Observe, aprenda, escreva o que aprendeu, e então tente fazer isso você mesma.

A leitura tem um papel importante no crescimento espiritual. Claro que o primeiro livro que deve ser lido é a sua Bíblia. Nela, você encontrará o ensino direto de Deus. Além da Palavra de Deus, leia os livros que eu tenho mencionado e que foram escritos por outras mulheres cristãs – Elisabeth Elliot, Edith Schaeffer,

Anne Ortlund, Carole Mayhall. Muitas dessas autoras (como também muitas outras) imprimiram para nós seus programas de discipulado, seus conselhos e observações. Quando lemos livros como esses, somos discipuladas!

Se você ainda não se convenceu totalmente, considere estes pensamentos sobre o valor da leitura:

- A Sra. Billy Graham disse às suas filhas: "Leiam sempre, e vocês serão educadas."[7]

- Não se esqueça de enfocar a leitura nas áreas de seus cinco arquivos espaçosos! "A chave mais importante para ler com eficácia pode ser resumida em uma palavra – seletividade."[8]

- "Não leia ao acaso – apenas o que se relacione com os seus objetivos de vida."[9]

- "Uma característica comum a todas as pessoas eficientes é que são ávidas leitoras."[10]

- "Ler é a melhor forma de adquirir conhecimento... [Mas] só 5% das pessoas que moram nos Estados Unidos comprarão ou lerão um livro este ano."[11]

Se você está pensando: "Mas eu não tenho tempo para ler! Como poderia fazê-lo, com todas essas tarefas de Deus para mim?!" ou "Espere um minuto – livros custam dinheiro!", um primeiro passo seria uma séria avaliação de como está levando sua vida. É fácil pensar que você não tem tempo para ler, mas o simples ato de carregar um livro com você por todos os lugares a que for permite que leia vários livros. Eu costumava fixar meu cronômetro e ler apenas cinco minutos por dia. O que também me permitiu ler muitos livros.

Quanto ao dinheiro, também é fácil pensar que você não pode

comprar livros. Uma opção para muitas pessoas é consultar os livros da biblioteca da igreja. Mas você pode ter recursos para construir uma biblioteca inteira sem saber disso. Você sabe que, (nos EUA) em média, uma família gasta aproximadamente US$ 30 por mês com televisão a cabo? Que tal gastar esses US$ 30 em livros cristãos edificantes que estimulam o crescimento espiritual? Esses programas de televisão serão menos agradáveis que livros que intensificam seu crescimento espiritual.

Crescimento espiritual: auxiliado por objetivos

Estou no meio da preparação de um seminário para sábado, sobre fixar e alcançar objetivos. Não é necessário dizer que estou vibrando em falar sobre algo que ajuda a me guiar diariamente! Não consigo imaginar um dia (ou uma vida) sem objetivos. Para mim, os objetivos me dão um alvo. Quando levanto cada manhã, preparo as flechas que quero lançar para alcançar os objetivos que fixei para aquele dia. Conforme eu atiro as flechas, elas podem oscilar, balançar, mas pelo menos estão sendo dirigidas para algum lugar. A flecha pode não acertar o alvo, errar por pouco ou, às vezes, ficar muito longe dele. Mas pelo menos ela está indo – *Eu estou* indo – para algum lugar! Da mesma maneira que os objetivos nos ajudam no dia-a-dia, eles definitivamente nos ajudam em relação ao nosso crescimento espiritual.

OBJETIVOS ESTABELECEM O ALVO – É verdade que, se você apontar para o nada, você o acertará sempre! Assim, como mãe de crianças pequenas, apontei para algo – ler um livro por ano. Perguntei a mim mesma: "Se eu pudesse ler só um livro este ano, qual seria?" Escolhi *What Is a Family?*, de Edith Schaeffer. Ler aquele único livro quando nossas crianças eram pequenas me ajudou a determinar o rumo que eu queria que nossa família tomasse. Eu o li em pequenos pedaços, lembrando que *alguma coisa* é melhor *que nada*. Estabeleci uma meta – e a alcancei. E aquele livro que me dispus a ler penetrou fundo em meu coração – e em minha vida.

OBJETIVOS DÃO OPORTUNIDADE PARA MEDIÇÃO ESPECÍFICA – Estabelecer objetivos específicos ajuda-a a se mover na direção em que você quer ir.

Assim, quando for estabelecer seus objetivos, afaste-se do incerto. A meta "ser uma mulher piedosa" ou "caminhar com Deus" é difícil de ser medida. É muito melhor ser específica. Responda à pergunta: "O que faz uma mulher piedosa?" e deixe que sua resposta lhe dê comportamentos específicos e mensuráveis (i.e., estudo bíblico, tempo de oração, etc.). Escreva os passos que você pode dar de fato para alcançar esses comportamentos (passos de bebê também contam!) e marque-os conforme os realiza.

OBJETIVOS DÃO ENCORAJAMENTO – Quando a semana, o mês ou o ano terminam, você pensa sempre: "Uau, o que foi que eu fiz? Para onde foram esses dias todos?" Eu costumava me lamentar ao fim de cada ano, procurando saber o que tinha para mostrar com a passagem do tempo. Mas, quando comecei a determinar metas específicas, mensuráveis e a marcar meu progresso, pude ver exatamente o crescimento que eu havia experimentado, celebrando e agradecendo a Deus por ele.

Crescimento espiritual: depende de escolhas

Uma vez que você determina alguns objetivos específicos, terá de fazer as escolhas certas continuamente, se quiser alcançá-los.

ESCOLHAS BASEADAS EM PRIORIDADES – Para alcançar os objetivos que você estabeleceu para seu crescimento espiritual, terá de escolher entre trabalhar num curso bíblico, assistir a uma classe de teologia, ler um livro ou encontrar-se com uma mulher mais velha para discipulado... *e* outro almoço fora de casa, fazer compras (novamente), assistir mais à TV, comparecer a outro encontro social da igreja ou trabalhar em uma profissão. Ocupar-se com coisas espirituais de forma que sua vida seja uma fonte para muitas pessoas requer muitas escolhas duras.

ESCOLHAS BASEADAS EM OBJETIVOS – Uma vez que você decidiu gastar tempo em seu crescimento espiritual, ainda tem de escolher em que projeto – e seus cinco arquivos espaçosos podem guiá-la.

Você também terá de considerar seus dons espirituais. Esses dois guias a ajudarão a fazer a melhor escolha!

Crescimento espiritual: requer tempo

Deus honrará o tempo que empregamos aprendendo mais sobre Ele, tempo que encontramos, separamos, economizamos, reservamos e agendamos em prol do nosso crescimento espiritual.

Existe uma imagem da Bíblia (imagem que eu aprecio) que me encoraja nesse sentido. O profeta Isaías escreveu: "os que esperam no Senhor... sobem com asas como águias..." (40.31). O tempo que gastamos a sós com nossa Bíblia e nossa lista de oração, a vida secreta passada com nosso Pai do céu,.é tempo gasto esperando no Senhor. Então, quando o tempo chegar, no tempo perfeito de Deus, subimos, voamos como águias! Podemos planar porque estivemos com Deus – como as vidas de muitos heróis da Bíblia ilustram.

- Moisés foi adotado pela filha do faraó e, assim, experimentou, durante 40 anos, todo tipo de privilégio conhecido. Entretanto, Deus o levou ao deserto para ser um pastor, um "homem comum", pelos 40 anos seguintes (Êxodo 3.1). Depois desses 40 anos em que Deus o preparou, Moisés rompeu em cena com sinais, maravilhas, milagres e serviço fiel a Deus (Êxodo 3-14).

- Potifar era o capitão da guarda do faraó, e José o serviu por dez anos como administrador da sua casa (Gênesis 39). Mas, um dia, José se achou preso, um "homem comum", esquecido, enquanto os dias e meses se passavam. Depois de dois ou três anos, os quais Deus usou para prepará-lo para a liderança, José irrompeu em cena, ajudando a salvar seu povo e servindo no comando, como o segundo homem de todo o mundo conhecido na época (Gênesis 41).

- João Batista foi outro "homem comum" de Deus. Durante 30 anos, viveu no deserto, vestindo peles de animais e alimentando-se de gafanhotos e mel silvestre (Mateus 3.4; Lucas 1.80). Depois desses 30 anos de preparação, João apareceu em cena pregando como nenhum outro homem jamais pregou, tão poderosamente que seus ouvintes pensaram que ele era o próprio Messias (Lucas 3.15)! O ministério de João durou não mais que um ano, contudo exigiu uma longa preparação espiritual.

- Paulo foi alguém terrível que perseguia os cristãos. Entretanto, um dia ele se converteu, radicalmente, de caçador de cristãos, em cristão – e desapareceu no deserto árabe por três silenciosos anos (Gálatas 1.17-18). Depois desses três anos que Deus usou para prepará-lo para um ministério grande e de longo alcance, Paulo irrompeu em cena, pregando, ensinando e fazendo sinais e milagres.

- E, então, há o nosso Senhor Jesus. Como Deus em carne, Ele nunca foi um "homem comum". Mas Ele também teve seu período de obscuridade, longe das multidões, envolvido com as coisas comuns. De acordo com o plano de Deus, Jesus passou um tempo quando criança com uma família na Galiléia, um tempo dentro de uma oficina de carpinteiro, e um tempo no deserto, por 40 dias de oração e jejum (Mateus 4.1-11). Então, um dia, Jesus surgiu em cena exibindo o poder e a glória de Deus em ação! Mas, depois de 30 anos de preparação, seu ministério na terra durou apenas três curtos anos.

A perspectiva que Deus tem do tempo é diferente da nossa, e podemos querer questionar o uso que Ele faz desse tempo. Podemos ser tentadas a pensar que o tempo silencioso, a sós com Deus, não tem tanto valor – que não aparece, não importa, e ninguém se preocupa com ele. Afinal de contas, ninguém o vê! Não há glória, luzes ou atenção para essas semanas, meses, anos esperando em Deus. Ninguém nos vê lendo e estudando a poderosa Palavra de Deus; ninguém está presente para nos assistir memorizando e meditando as verdades transformadoras de Deus. Somente Deus nos vê de joelhos dobrados, lutando em oração; luta essa que Ele usa para nos preparar para o ministério.

Entretanto, como os heróis da Bíblia e como nosso Salvador Jesus, um dia estaremos preparadas. Quando for a hora certa, quando a oportunidade para o ministério se apresentar, nós também subiremos com asas como uma águia – prontas para fazer o trabalho de Deus! Nós somos privilegiadas ao vivenciar o ditado: "O sucesso vem quando o preparo e a oportunidade se encontram." Deus é responsável por apresentar as oportunidades – no seu tempo, no seu lugar e à sua maneira – mas nós somos responsáveis por cooperar com seus esforços com vistas ao nosso preparo.

E essa preparação acontece quando utilizamos tempo a sós com nosso Deus. O bem resulta desse tempo. Na verdade, por uma boa razão, a solitude tem sido chamada de "escola de gênios". Também é verdade que "a maior parte do progresso do mundo decorreu da... solitude".[12] Então, organize sua agenda. Fixe um tempo para se colocar na presença de Deus para que Ele possa produzir em você um crescimento espiritual. Faça um retiro particular e espere no Senhor. Deixe-o prepará-la para subir com asas como uma águia, de forma que você possa irromper em cena com um ministério vital para o povo de Deus!

Crescimento espiritual: resulta em ministério

A importância do seu crescimento espiritual – o ponto principal desta seção – pode ser resumida na frase: *Você não pode dar o que você não possui*. O envolvimento no ministério requer que você seja um vaso cheio – como minha amiga Karen (outra Karen!) mostrará a você.

E você é muito semelhante a Karen. Como uma mulher segundo o coração de Deus, sem dúvida, você quer conhecer Deus e a sua Palavra. Quer fazer as escolhas que Ele deseja que você faça. Deseja também que o poder e a presença de Deus estejam claramente em sua vida. Seu coração bate como o dele, voltado para as pessoas. E você deseja passar toda a vida tentando viver o propósito de Deus para você. Isso é o que Karen desejava. Então, decidiu se abastecer.

Como uma mãe com dois meninos pequenos em casa, Karen desejou ser um vaso cheio e começou a esperar em Deus. Definiu os assuntos dos seus cinco arquivos espaçosos e começou a ler, ler e ler (!) sobre um de seus arquivos – *O desenvolvimento espiritual de crianças*.

Logo seu filho mais velho foi para o jardim de infância, durante três horas por dia. No fim do ano, quando a professora estava preparando as atividades da "formatura", pediu a Karen que apresentasse uma mensagem sobre compartilhar a verdade espiritual com os filhos. Com aquele convite, uma Karen preparada entrou em cena – e contou com cem pessoas em sua primeira audiência!

Porque Karen tinha esperado fielmente em Deus e se colocado em uma posição onde Ele poderia enchê-la e fazê-la crescer, ela possuía algo para oferecer. Em todos os lugares onde esteve, seus lábios e sua vida falaram da plenitude que tinha alcançado em sua vida pessoal com o Senhor. Ela estava tão enriquecida e empolgada com o que estava aprendendo que o seu coração transbordava. Como as nascentes de seu coração estavam sendo alimentadas em sua fonte secreta, ela, com a sua vibração, levava refrigério a outros, o que resultou em um ministério natural.

Crescimento espiritual: experimentando o regozijo do Senhor

Em sua mente, imagine uma mulher que existe realmente e que você admira. E, então, descreva-a da forma como eu descrevi Sharon no começo deste capítulo. Provavelmente, a mulher que você admira é estimulante, desafiadora, cheia de energia e jovial. Ela está crescendo e é viçosa, é entusiasmada e entusiasma, aprende e deseja compartilhar o que tem aprendido. Ela traz para você a motivação, e você aprecia estar com ela. Ela não tem nada a temer, e você nunca ouve ou vê nela sinais de tédio. Para ela, a vida nunca é enfadonha!

Uma mulher como esta – e espero que você conheça pelo menos uma – provavelmente está envolvida e comprometida com um crescimento espiritual. Ela tem passado tempo com Deus e tem sido abastecida por Ele. Assim, quando está em público, não pode deixar de compartilhar o amor de Jesus. Ela não pode deixar de compartilhar a alegria de conhecê-lo e caminhar com Ele. Deus encheu seu coração para transbordar, permitindo que compartilhe um ministério restaurador com outras pessoas. Observando estas mulheres, que refletem o que é descrito em Provérbios 31, imergirem em seus reservatórios criados pelo tempo passado na busca de Deus, e ouvindo acerca de seu entusiasmo pela vida e pelo Senhor, você tem de admitir que está na presença de uma mulher que verdadeiramente conhece a alegria divina. É daí que vem a real alegria – a do tempo gasto a sós com o Senhor, enquanto Ele a enriquece e a prepara para o ministério.

Resposta do coração

Você será realmente abençoada, se conhecer uma dessas mulheres ricas e joviais que responderam ao chamado de Deus para suas vidas. E será mais abençoada ainda, se aceitar o convite para fazer o mesmo. Assim, separe um momento e espere em Deus enquanto considera estas perguntas: "Como tenho utilizado, exatamente, o tempo e a energia preciosos que Deus me dá? Eu o tenho desperdiçado em escolhas que não têm valor eterno, ou tenho feito escolhas do tipo bom, melhor, ótimo? Reconheço o valor – a necessidade – do tempo gasto em preparação? Permitir que Deus me prepare para o ministério é, ao menos, um de meus objetivos? Ou estou deixando o tempo e a vida passarem sem proveito, sem investimento para a eternidade?"

Deus tem feito a parte dele: Ele a salvou (2 Timóteo 1.9), deu-lhe vida eterna (1 João 5.11), a abençoou com toda sorte de bênçãos espirituais (Efésios 1.3), deu-lhe talentos para o ministério (1 Coríntios 12.11), e preparou um lugar para você no céu (João 14.2). E agora Ele a chama para fazer a sua parte – alcançar a sua visão, separar um tempo, fazer do crescimento espiritual uma meta, gastar tempo e energia de forma que Ele possa prepará-la para o ministério, e confiar em que Ele providenciará oportunidades para você ministrar e enriquecer o povo dele com o transbordamento da sua vida enriquecida e plena de alegria!

19
Um coração que demonstra cuidados

Sede firmes, inabaláveis e sempre abundantes na obra do Senhor, sabendo que, no Senhor, o vosso trabalho não é vão.
– *1 Coríntios 15.58*

Quando minha filha Courtney voltou de sua lua-de-mel, Jim, Katherine e eu tivemos exatamente uma semana para lhe dizer "Adeus" e para ajudá-la a empacotar os presentes de casamento, que foram embarcados em um navio cargueiro, enquanto ela e Paul voaram para a ilha de Kauai. O Havaí fica muito longe de Los Angeles, e ter um membro da família tão longe assim foi uma verdadeira adaptação para Jim, Katherine e para mim. "Oh! bem", todos nós aqui no continente pensamos, "só teremos de visitá-los!" Assim Jim e eu, com Katherine e seu marido, Paul, começamos a planejar uma viagem ao Havaí.

Cinco meses depois, voamos para Maui para um encontro muito esperado. Encontramo-nos com Paul e Courtney e demos início a um maravilhoso feriado do Dia de Ação de Graças, juntos, em família. Uma de nossas aventuras turísticas nos levou à famosa estrada para Hana, onde termina a rodovia Maui. Sim, tivemos tonturas enquanto a estrada interminavelmente serpenteava por cerca de 150 km (e cinco horas!), mas, no fim da estrada, tínhamos uma visão, de tirar o fôlego, das Sete Piscinas Sagradas.

Essas sete piscinas foram formadas por pedras e camadas de lava através da chuva que desce da montanha para o Oceano Pacífico. Originária de altitudes muito altas, sem poder ser avistada por causa das nuvens de chuva sempre presentes, a água fresca chega ao chão, enchendo a piscina mais alta primeiro. Quando termina de encher essa primeira piscina, a água da chuva continua transbordando e forma uma cascata que enche a outra piscina montanha abaixo. Assim que essa piscina está cheia, transborda... enchendo a de baixo... e a outra... e a outra... até que a última piscina finalmente transborda para a imensidão do mar de Deus.

Refletindo sobre o plano de Deus

Enquanto estive com minha família observando (e fotografando) este maravilhoso trabalho manual do Senhor, pensei na vida que você e eu buscamos como mulheres de Deus. Aquelas sete piscinas ilustram a abundância de que podemos desfrutar – e o impacto de longo alcance que podemos ter – conforme vivemos de acordo com o plano de Deus.

Imagine novamente aquela primeira piscina no topo, lá em cima da montanha, oculta pela névoa, escondida da visão das pessoas. Como aquela piscina, você e eu desfrutamos nossa vida a sós com Deus, a vida particular que nutrimos nele. Sem sermos vistas pelos outros, você e eu somos cheias pelo Espírito de Deus conforme permanecemos em sua presença e bebemos de sua Palavra. Naquela névoa santa, Ele enche nossas almas secas até que estejamos repletas da sua bondade. Então, essa abundância transborda para a próxima piscina – o coração da pessoa mais próxima e mais querida por nós – nosso marido.

Depois, acontece a mesma coisa outra vez. Ainda no alto da montanha, compartilhamos com nosso marido da abundância de nossa relação com Deus, cuidando do relacionamento humano mais importante para nós, nutrindo-o e desenvolvendo as qualidades que Deus deseja em nós, esposas. Deus desenvolve em nós um espírito de serva e um coração cheio de amor, que se evidencia a si mesmo com esse homem. Logo essa piscina cristalina de amor se enche, até que transborda em cascata nos corações de nossos filhos.

Sim, os corações de nossos filhos são a próxima piscina que nosso amor e energia devem encher. Se Deus nos dá filhos, Ele os confia ao nosso cuidado para serem amados, ensinados, treinados e repletos do conhecimento do Senhor. Tudo aquilo com que Deus nos tem abastecido, e todas as bênçãos que florescem de um casamento cheio de amor, centrado em Cristo, transbordam para revigorar e suprir os tenros corações de nossos queridos filhos.

A riqueza generosa de nossa relação com Deus, com nosso marido e com nossos filhos derrama-se, então, para a próxima piscina, enchendo nossa casa com o amor de Deus e com a beleza da família. Os frutos do amor e cuidado de Deus alimentam a vida espiritual, a vida familiar, a vida de amor lá em nosso refúgio. Logo, também, esta piscina transborda...

E, então, as águas correm para o próximo nível de necessidade, satisfazendo os desejos de nossa alma. Esta lagoa que se enche rápido é onde os sonhos são produzidos, onde temos uma rápida visão do que Deus quer que você e eu façamos para Ele e para o seu povo. Aqui sentimos ardentemente que desejamos que nossa vida tenha valor; aqui desejamos servir aos outros de acordo com os propósitos de Deus. Tendo sido cheias as piscinas mais altas da montanha, agora nós damos um mergulho. Submergimos nessa piscina refrescante de conhecimento, disciplina e treinamento, até que a água se nivele à beira e derrame além de seus limites, espraiando-se no oceano ilimitado do ministério de Deus.

Nessa condição de vantagem, enquanto refletimos sobre como Deus pode nos usar, silenciamos, intimidadas. Agora entendemos! Seus caminhos são sábios e funcionam! Quando somos fiéis em seguir o coração de Deus – quando cuidamos de cada aspecto da vida e o nutrimos como Ele nos instrui –, o ministério em que Ele nos usa pode ter um impacto sem medida!

Novamente, minha irmã do coração, você pode ver isso? Estas sete piscinas mostram como Deus pode usar nossa vida eficazmente para seu reino. Deus quer que toquemos primeiro os mais íntimos, mas também pode nos usar para tocar as multidões.

Já tendo tratado da importância do crescimento espiritual, agora quero que olhemos como a água naquela piscina transborda no oceano do ministério de Deus. Consideremos algumas maneiras pelas quais nós, mulheres cristãs, podemos influenciar as vidas de outras pessoas – incontáveis pessoas – para a eternidade.

Aprenda a dar

Repetidamente, Jesus diz que devemos dar – a todos (Lucas 6.30); dar sem esperar nada em troca (versículo 35); dar com a generosidade divina, que é ser amável com o mau e ingrato (versículo 35); e cuidar dos outros dando (versículo 38). Você e eu podemos aprender a dar deste modo, para transbordar cuidado para com todos. Aqui estão algumas idéias para alcançarmos isso.

SUA PRESENÇA E ÀS VEZES UM ÚNICO TOQUE VALEM MAIS QUE MIL PALAVRAS – Quando vier a dar, lembre-se deste princípio de ministério: sua presença é uma fonte de conforto. Você pode não ter as palavras exatas a dizer ou o texto bíblico perfeito a compartilhar. Mas em muitas, se não na maioria das situações, seu toque pode trazer muito mais conforto que palavras.

SEJA UMA DOADORA – Assim como você e eu aprendemos com nosso marido e nossos filhos, podemos dar um sorriso, uma saudação, fazer uma pergunta amável, oferecer um toque, um abraço e pronunciar o nome (use sempre o nome da pessoa!).

SEJA CORAJOSA – Seja corajosa e dê às pessoas que Deus coloca em seu caminho. Se, porém, você se achar evitando determinada pessoa, peça a Deus que lhe mostre por quê. O pecado em nosso coração – coração feito para transbordar cuidado pelos outros – nos impede de ser confiantes em nossas relações. Assim, descubra o que está havendo – ou não está havendo – em seu coração, que está impedindo o seu ministério. Então, dê um passo maior e decida o que você dirá na próxima vez que encontrar essa pessoa. Ativamente, procure-a e *dê* a saudação que você planejou. Com um coração limpo perante Deus, você não deve ter nada a esconder, nada a reter. Aprenda a dar às pessoas que encontra diariamente.

TORNE-SE UMA ALMA GENEROSA – Não somente dê; mas dê liberalmente, de bom grado, generosamente, com alegria, além do limite (2 Coríntios 9.6-7)! "A alma generosa prosperará", declara Provérbios 11.25. Mas, tornar-se essa "alma generosa" pode ser um processo, e eu estou neste processo há décadas.

Meu marido Jim é esta alma maravilhosamente generosa que dá tudo! Ele dá nossos carros, nossos mantimentos, nosso dinheiro, nossa poupança, seus ternos e nossa casa para ser usada por outras pessoas quando estamos fora. Eu estou aprendendo a ser mais generosa e recebi uma lição importante quando um casal de nossa igreja me mostrou como é estar do lado receptor da generosidade. Quando éramos missionários em Cingapura, eles vieram nos visitar. Enquanto fazíamos compras pelas ruas daquela cidade portuária, Billie comprou tudo em dobro – e então deu-me a segunda peça de cada item (roupas de "batik", enfeites de Natal, porcelanas) quando ela partiu! Que alegria para mim – e que privilégio para você e eu podermos dar esse tipo de alegria aos outros, dando com generosidade.

DECIDA NÃO RETER COISA ALGUMA – Provérbios 3.27 nos exorta: "Não te furtes a fazer o bem a quem de direito, estando na tua mão o poder de fazê-lo." Quais são algumas das boas coisas "no poder de nossa mão"? Elogio, encorajamento, agradecimento, uma saudação, bondade, boas ações e uma nota de apreciação são algumas das coisas boas que costumamos reter. E você e eu *escolhemos* compartilhar ou não essas bênçãos.

Sou incentivada cada vez que me lembro do primeiro estudo bíblico que fiz. A esposa de nosso pastor hesitou e, então, quando estávamos no santuário após o culto, passou entre os bancos da igreja vindo em minha direção. Lutando com ela mesma, finalmente ela disse: "Tenho perguntado a Deus se deveria dizer alguma coisa a você, porque não quero que isto suba à sua cabeça ou a envaideça

– mas você é uma boa professora!"

Acredite-me, dificilmente eu sofrerei de excesso de autoconfiança! Minha tendência é estar na outra extremidade; em direção à inadequação, à inferioridade e à falta de habilidade. Mas esta estimada mulher escolheu não reter o bem – essas palavras de encorajamento – quando isso estava no poder de suas mãos (e de seu coração) para dar! Façamos a mesma escolha!

Aprenda a olhar ao redor

Eu amo o coração terno do pastor que Jesus descreve em Lucas 15. Quando uma de suas cem ovelhas se perdeu, ele deixou as outras noventa e nove e foi procurar a que estava perdida (versículos 3-6). Deus se importa conosco desse mesmo modo e quer que nós nos importemos com as outras pessoas assim também. Aqui estão algumas dicas para começar.

DESENVOLVA "OLHOS" GENEROSOS – Salomão disse: "O generoso será abençoado, porque dá do seu pão ao pobre" (Provérbios 22.9). Eu gosto de pensar em olhos generosos como os olhos de Deus, que "passam por toda a terra" (2 Crônicas 16.9). Quando estou em um grupo de pessoas, procuro intencionalmente por "ovelhas feridas" – e, acredite-me, elas estão lá! Encontrei mulheres no alojamento das senhoras chorando, sentadas no pátio da igreja se lamentando, atrás da porta de nossa sala de oração soluçando. Uma noite, no culto, sentei-me ao lado de uma mulher que chorou durante uma hora e meia! Eu quase não pude esperar o pastor terminar de pregar para lhe perguntar: "Posso fazer *alguma coisa* para ajudá-la? Posso orar com você? Posso pegar algo para você? Você gostaria de conversar?" Pessoas em toda a nossa volta precisam de uma palavra terna – ou mais de uma. (Vê por que você e eu temos de desenvolver e superar tendências egoístas? Assim podemos dar aos outros.)

SEJA OBJETIVA – Sempre que encontrar uma pessoa em necessidade, seja direta. Caminhe direto até a "ovelha ferida", veja o que ela precisa e o que você pode fazer. Não espere que outra pessoa venha. Não corra, procurando o pastor. Deus permitiu que *você* encontrasse essa pessoa em necessidade. Agora deixe que seu coração transborde cuidado.

Vá para dar

O missionário e mártir Jim Elliot disse uma vez: "Onde quer que você esteja, esteja totalmente lá. Viva integralmente toda situação que você acredita ser da vontade de Deus."[1] Lembro-me destas palavras sempre que assisto a um culto ou evento ministerial, e vou esperando que Deus me use. Aqui está um resumo de meu método para alcançar esse objetivo – e eu a encorajo a apropriar-se dele.

ESTEJA TOTALMENTE LÁ – Antes de ir a um evento, oro para estar ali para dar – para olhar em volta, para ser direta, sem reter nada. Então, enquanto estou lá, ponho de lado minhas preocupações e minhas responsabilidades. Enquanto eu estiver estudando a Bíblia, não quero pensar no que vou fazer para o jantar. Durante a mensagem do meu pastor, não quero estar planejando minha semana. Não quero desviar minha atenção com o que aconteceu antes de eu chegar ali ou com o que acontecerá depois daquele momento. Eu quero estar totalmente lá!

VIVA INTEGRALMENTE! – Não só quero estar totalmente lá, mas também quero viver cada momento por completo. E gosto do conselho de Anne Ortlund, a esposa de um pastor. Ela encoraja as mulheres a "estarem presentes".[2] Já que você está lá, já que comprometeu uma noite ou uma manhã com um evento ou um culto de adoração, comprometa-se totalmente. Tente tocar o maior número de "ovelhas" que você puder. Auxilie o maior número de pessoas que puder, do maior número de formas possível.

DIVIDA E CONQUISTE – Combine com suas melhores amigas, mãe ou filhas de *não* se sentarem juntas, andarem juntas, ficarem juntas na hora do café ou de uma visita. Em vez disso, compartilhe o compromisso de dividir e conquistar. Lembre-se: você veio para dar! Seus amigos mais chegados têm acesso bem maior à sua vida, bastante tempo para estar pessoalmente com você em particular. Assim, por que eles também deveriam ter todo o seu tempo quando vocês estão num grupo com outras pessoas? Eles podem falar com você depois. Uma amiga e eu fizemos o trato de, quando nos acharmos "gravitando" uma ao redor da outra, uma de nós exclamar: "Venha! Vamos tocar uma 'ovelha'!"

Mais uma palavra sobre ir para dar: Você se achará recebendo muito – será muito abençoada – quando deixar Deus usá-la deste modo!

Desenvolva sua vida de oração

Você notou como, repetidamente neste livro, voltamos à oração? Uma mulher segundo o coração de Deus é uma mulher que ora. Seu coração naturalmente transborda em oração, assim como em cuidado. E, como orar pelas pessoas é um modo poderoso de cuidar delas, você e eu devemos querer nos unir a Deus num ministério de oração, um ministério que faz uma enorme diferença na vida das pessoas. Aprenda – como eu – com a história de J. Sidlow Baxter, sobre como ele desenvolveu sua vida de oração.

> Eu vi que havia uma parte de mim que não queria orar... [e] outra que queria. A parte que não queria eram as emoções, e a parte que queria era o intelecto e o desejo...
>
> [Assim,] eu disse ao meu desejo:
> – Desejo, você está pronto para a oração?
> E o Desejo disse:
> – Aqui estou, estou pronto.
> Então eu disse:
> – Venha, Desejo, vamos lá.
>
> Assim, o Desejo e eu fomos orar. Mas, no minuto em que começamos a sair para orar, todas as minhas emoções começaram a falar:
> – Nós não queremos ir, nós não queremos ir, nós não queremos ir.
> E eu disse ao Desejo:
> – Desejo, você pode com isto?

E ele respondeu:

– Sim, se você puder.

Assim, o Desejo e eu arrastamos para fora aquelas emoções miseráveis e fomos orar, e ficamos uma hora em oração.

Se você me perguntasse depois se eu tive um tempo agradável, acha que eu poderia ter dito que sim? Um tempo agradável? Não, foi uma luta o tempo todo.

O que eu teria feito sem a companhia do Desejo, não sei. No meio das intercessões mais sérias, de repente, encontrei uma de minhas principais emoções saindo para o campo de golfe, para jogar. E tive de correr para o campo e dizer:

– Volte...

Foi cansativo, mas fizemos isto.

Veio a manhã seguinte. Olhei para meu relógio e estava na hora. Eu disse ao Desejo:

– Venha, Desejo, está na hora de orar.

E todas as emoções começaram a puxar para o outro lado. E eu disse:

– Desejo, você pode com isto?

E ele respondeu:

– Sim, na verdade acho que estou mais forte depois da luta de ontem de manhã.

Então, o Desejo e eu fomos novamente.

A mesma coisa aconteceu. Rebeldes e tumultuosas emoções que não cooperavam. Se você tivesse me perguntado: "Você teve um tempo agradável?", eu teria de lhe contar com lágrimas: "Não, os céus estavam como bronze. Foi difícil me concentrar. Tive um tempo terrível com as emoções."

Foi assim por aproximadamente duas semanas e meia. Mas o Desejo e eu agüentamos. Então uma manhã, durante a terceira semana, olhei para o meu relógio e disse:

– Desejo, está na hora da oração. Você está pronto?

E ele respondeu:

– Sim, estou pronto.

E, enquanto estávamos indo, ouvi uma de minhas emoções principais dizer às outras:

– Vamos, companheiras, os nossos esforços são inúteis. Eles persistirão, não importa o que façamos.

De repente, um dia [semanas depois], enquanto o Desejo e eu estávamos nos apresentando ao trono da glória de Deus, uma das emoções principais gritou:

– Aleluia!

E todas as outras emoções de repente gritaram:

– Amém!

Pela primeira vez [tudo em mim estava envolvido] no exercício da oração.[3]

Orar não é fácil! Definitivamente é uma disciplina, mas também um ministério que flui de um coração abastecido. Três decisões podem ajudá-la a se colocar perante Deus, para que Ele possa encher seu coração de cuidado com os outros.

DEFINA UM TEMPO – Da mesma forma que o Sr. Baxter olhou para seu relógio e disse: "Está na hora", para assegurar-se de que o ministério da oração tomava o seu lugar, estabeleça uma hora marcada para isso. Programe um tempo, desligue o telefone, deixe outras coisas por fazer e ore!

DEFINA UM LUGAR – Escolha um local tranqüilo onde você possa estar a sós para "se apresentar ao trono da glória de Deus"!

DEFINA UM PLANO – Use um caderno para ajudá-la a organizar seu ministério de oração. Em meu caderno, primeiro, eu alisto todas as pessoas por quem quero orar. Então, decido com que freqüência quero orar por elas, individualmente. Por algumas eu oro diariamente (incluindo meus "inimigos" – Lucas 6.27-28), mas pela maioria delas oro uma vez por semana. Finalmente, determino um dia específico para cada categoria. Tenho também uma página para "pedidos especiais" e outra para os membros agregados da família. Crie quantas páginas e categorias precisar a fim de orar pelas pessoas que Deus colocou em sua vida para que se preocupe com elas.[4]

Definindo um tempo, fixando um lugar e determinando um plano, nada nem ninguém será esquecido. Tudo e todos serão abrangidos quando você orar! Esses passos práticos nos permitem cumprir a vontade de Deus para que estejamos "orando em todo o tempo... com toda perseverança e súplica por todos os santos" (Efésios 6.18).

Resposta do coração

Você sente a névoa ao seu redor enquanto deixa que Deus a abasteça? Você está atenta para quão cheio está seu coração, um coração segundo Deus, que Ele tem feito crescer durante esses 18 capítulos? E você sente como de seu transbordamento flui um mar de amor para com as pessoas ao seu redor? É uma experiência gloriosa ser cheia para transbordar com o amor de Deus e então ser usada por Ele!

Espero, também, que seu coração esteja tranqüilo e que você tenha encontrado satisfação profunda ao ver como Deus derrama o seu amor sobre tantas pessoas por meio de você. Primeiro, o amor flui para as pessoas mais próximas de seu coração, as pessoas de sua casa. Então, o amor segue em frente para revigorar e refrigerar outras incontáveis pessoas. Enquanto isso acontece, seu generoso e gracioso Senhor milagrosamente enche-a novamente, substituindo e multiplicando tudo aquilo que você deu aos outros sem egoísmo.

Enquanto considera este processo, oro para que você seja encorajada! Uma vez que prove a enorme alegria nascida do sacrifício pessoal (se você ainda não provou), oro para que seu coração se encha com satisfação e contentamento espirituais profundos. Que você possa saber, sem dúvida, que seu trabalho para o Senhor nunca é vão (1 Coríntios 15.58)! E desejo que você nunca se canse de fazer o bem, "porque a seu tempo ceifaremos, se não desfalecermos" (Gálatas 6.9)!

Peça a Deus que lhe dê um grande desejo de servir a Ele e aos outros. Peça sabedoria para escolher onde e como ministrar. E certifique-se de sempre ter um tempo para encher seu próprio coração de forma que você tenha alguma coisa a dar aos outros. Finalmente, peça a Deus para lhe dar força para o seu trabalho e uma visão maior do valor eterno de servi-lo e ao seu povo.

20

UM CORAÇÃO QUE ENCORAJA

...a boa palavra o alegra [o coração].

– *Provérbios 12.25*

Sentada em nossa classe da Escola Dominical, escutei e tomei nota enquanto Jim apresentava sua série de "uns aos outros" no Novo Testamento. Ele estava ensinando sobre o ministério que cada um de nós, cristãos, deve ter para com os membros da Igreja de Cristo. Nesse domingo em particular, Jim falou sobre edificar uns aos outros – encorajando-os, animando-os, contribuindo positivamente para sua vida, e ajudando-os de algum modo.

Resumindo a lição com uma aplicação, Jim desafiou nossa classe: "Em todo encontro, tenha como meta que as pessoas se sintam melhor por estarem com você. Tente, em todo encontro, dar algo à outra pessoa." Nunca me esqueci dessas palavras. Que grande – e simples – forma de influenciar positivamente as vidas de outras pessoas! Todos precisam de edificação e encorajamento, e nós estamos prontos para oferecer essas coisas quando temos um coração preenchido por Deus. Aqui estão algumas sugestões para encorajar o povo de Deus.

Reserve tempo para se abastecer

Se você gastar tempo sentando-se aos pés de Jesus e sendo abastecida pelo Espírito de Deus ao estudar a sua Palavra, se você buscar superar obstáculos internos para fazer o trabalho do Senhor, nunca deixará de ter um ministério. A abundância de Deus em você transbordará naturalmente nas vidas de outras pessoas. Pensando nisso, imediatamente me vêm à mente duas mulheres que aumentaram o potencial de seus ministérios quando superaram a timidez.

A evangelista Corrie Ten Boom enfrentava problemas com a timidez. Determinada a superá-la, Corrie se matriculou em um curso da [Universidade] Dale Carnegie para aprender a falar com as pessoas. Se ela conseguisse falar com outros, então ela poderia testemunhar sobre Jesus Cristo! Desenvolver-se conduziu-a a um grande ministério.

A Sra. Howard Hendricks é esposa de um pastor e também tinha problemas com a timidez. Como Corrie Ten Boom, Jeanne se matriculou em um curso da [Universidade] Dale Carnegie e também no *Toastmasters for Women*, para aprender a falar com pessoas individualmente e em grupos grandes. Por duas vezes, a Sra. Hendricks foi palestrante do retiro para mulheres em minha igreja – falando, cada vez, para mais de 500 mulheres. Desenvolver-se a conduziu a um ministério mais eficaz.

O ministério é estimulado quando passamos tempo desenvolvendo nossas habilidades e superando nossas fraquezas – e isso faz sentido. Afinal de contas, quanto pode ensinar um professor, aconselhar um conselheiro, administrar um administrador? Só até onde cada um cresceu! E cada um de nós cresce, cada um de nós encontra poder e conhecimento para superar as fraquezas pessoais e para um ministério mais eficaz, em Jesus Cristo. E como Ele mesmo disse: "Amarás o Senhor, teu Deus, de todo o teu coração, de toda a tua alma e de todo o teu entendimento... [e] o teu próximo como a ti mesmo" (Mateus 22.37, 39). Você terá mais para dar ao seu próximo se regularmente se colocar perante Deus e deixá-lo nutri-la, fortalecê-la e transformá-la!

Memorize passagens bíblicas de encorajamento

Você se lembra de quando discutimos sobre "salgar" nossos filhos com a verdade? Bem, os filhos não são as únicas pessoas em sua vida que precisam de sal! Você pode ter o ministério de salgar – o ministério do encorajamento – com todos com quem se encontra. Se sua "palavra for sempre agradável, temperada com sal" (Colossenses 4.6), você nunca falhará em auxiliar outras pessoas. Sua vida e seus lábios oferecerão encorajamento restaurador a todos os que cruzarem seu caminho. Como nosso Messias, você poderá "dizer boa palavra ao cansado" (Isaías 50.4).

Mas, como vimos antes, não podemos dar o que não possuímos. Assim, é bom memorizar algumas passagens bíblicas de encorajamento para ajudar pessoas necessitadas nessa área. Saber versículos lhe dá a palavra certa, algo oportuno e apropriado à situação.

Pense nas passagens da Bíblia que você memoriza como os instrumentos de um cirurgião. As últimas coisas que vi antes de ser anestesiada, perdendo a consciência, vários anos atrás, antes de uma cirurgia por que passei, foram duas bandejas dos tais instrumentos, uma à direita do cirurgião e outra à sua esquerda. Eu me lembro de pensar: "Olhe todos esses instrumentos! De todos os tamanhos! De todos os formatos! De todos os tipos! E quantos são eles! Tudo o de que ele precisar está aí – pronto para qualquer e todo propósito!" Isso é aquilo em que as passagens da Bíblia que você memoriza se tornam nas mãos de Deus – instrumentos prontos para todo e qualquer propósito. Qualquer que seja a necessidade (em sua própria vida ou na vida daqueles com quem você conversa), todo versículo que sabe de cor está disponível, pronto para ser usado por Deus para encorajar uma alma cansada.

Se você for fiel ao se comprometer a memorizar pedras preciosas selecionadas da Palavra de Deus, de repente você as achará acrescentando real significado às suas conversas. E conversas significativas fluem naturalmente de um coração preenchido – neste caso, fazendo transbordar a Palavra de Deus! Você observará o conteúdo de suas anotações e das chamadas telefônicas que faz tornarem-se relevantes. As visitas a outros cristãos serão mais significativas à medida que você compartilha verdades poderosas e promessas de Deus. Na realidade, como o seu coração está repleto da Bíblia, já não se satisfará com conversações sem sentido, conversações triviais. Compartilhar a Palavra de Deus conduzirá suas conversas com outras pessoas a níveis mais profundos.

Você pode estar pensando: "Mas eu não consigo memorizar a Bíblia! Já tentei e simplesmente não funciona comigo." Mas recentemente estive na casa de uma amiga cujo papagaio cantou todo o Hino Nacional dos Estados Unidos para mim! Enquanto estava lá, pasma com o que ouvia, pensei: "Bem, se um papagaio pode aprender um hino inteiro, nós, seres humanos, podemos aprender a memorizar a Bíblia!" Pense no tempo que levou para um pássaro aprender a melodia e o tom de uma música tão complicada! Seguramente, você pode aprender um versículo ou dois da Palavra de Deus! Se você o fizer, seu coração repleto será uma fonte de encorajamento para muitos!

Use o telefone para encorajar

A Bíblia nos diz que "A ansiedade no coração do homem o abate, mas a boa palavra o alegra" (Provérbios 12.25), e você provavelmente sabe desta verdade por experiência própria. Um modo fácil de encorajar e tornar um coração alegre é alcançar e tocar alguém pelo telefone. Não estou falando de ligar para uma lista enorme de pessoas ou fazer ligações prolongadas. Uma ligação simples e rápida pode fazer muito para alegrar o coração do receptor!

Normalmente, eu faço essas ligações de estímulo por volta das 17h30. Quando minhas meninas estavam em casa, eu lhes dizia: "Tenho de fazer três ligações telefônicas. Não vai demorar muito, mas quero saber se vocês precisam de alguma coisa, antes que eu pegue o telefone." Falando com Katherine e Courtney primeiro, mostrava-lhes a posição de prioridade que tinham em meu coração acima de outras pessoas (incluindo a pessoa para quem eu estava ligando). Dava-me também a chance de cuidar de alguma necessidade que tivessem, antes de telefonar e de lembrar-lhes que eu não estaria disponível durante alguns minutos.

Quando ligo, digo algo como: "Sei que está quase na hora do seu jantar – e do meu também – mas não tenho visto você ultimamente, então resolvi dar uma ligadinha e ver se você está bem." Quando vejo que a pessoa está enfrentando alguma dificuldade, marco um horário para ligar depois, quando poderemos ter uma conversa mais prolongada e significante. Você e eu podemos também deste modo alcançar pessoas que estejam se recuperando de doenças ou que estejam enfrentando alguma crise. O telefone nos oferece um modo muito eficaz para encorajar os outros, ao mesmo tempo que requer muito pouco esforço. O mais importante neste ministério é ter um coração que se preocupa!

Quando Jim ministrou ao grupo da terceira idade em nossa igreja, eu achei que telefonar era um modo simples de encorajar os que estavam ausentes de nossa classe nos domingos. Se eles estivessem doentes ou fora da cidade, gostariam de ver que alguém notou sua ausência, sentiu sua falta e os procurou. Minha amiga especial Patty me abençoa da mesma forma, deixando palavras encorajadoras em minha secretária eletrônica quando não nos vemos durante algum tempo. Ouvir a sua mensagem e saber que *alguém* se importa comigo sempre me faz sorrir!

Quem você pode incentivar pelo telefone?

Escreva bilhetes de encorajamento

Escrever bilhetes para os que precisam de encorajamento é outra maneira de compartilhar uma boa palavra que torna o coração alegre (Provérbios 12.25). Outra vez, quando pensei no grupo que Jim e eu estávamos pastoreando, orei e perguntei a Deus: "O que eu – uma jovem esposa e mãe – posso oferecer a estes santos? Eles têm caminhado contigo há tanto tempo! Eles te conhecem tão bem!"

Deus foi fiel em responder àquela súplica do meu coração: Ele me mostrou que eu poderia lhes escrever bilhetes encorajadores.

Assim, quando checava a freqüência a cada manhã de domingo, anotava os nomes daqueles que estavam ausentes, daqueles que estavam viajando e dos que estavam doentes. Depois, em casa, à tarde, enquanto as crianças cochilavam e Jim e eu descansávamos, eu escrevia um bilhete de encorajamento para cada "ovelha perdida". Eu só queria demonstrar-lhes que nós nos importávamos, estávamos preocupados e à disposição – e que esperávamos vê-los logo!

As pessoas que eu mais admiro nessa área de assistência pessoal são aquelas que separam um tempo em seu dia ou em sua semana para escrever bilhetes e cartas. É um ministério! E se você estiver pensando de novo: "Ah! não! Já sou tão ocupada! Como posso fazer mais uma coisa?", considere esta minha técnica simples.

Quando vejo um pedaço de papel em branco, digo a mim mesma: "Vamos lá, Liz, só três frases!" e sigo em frente. Se eu estou escrevendo para alguém doente, alguém desolado, alguém da liderança, algum visitante, falo a mim mesma: "Apenas três frases!" A frase nº 1 pode ser: "Estou com saudades", ou "Gosto de você", ou ainda "Estou pensando em você". A frase nº 2 mostra ao leitor que ele é especial para mim e por quê. E a frase nº 3 diz que eu estou orando por ele; e, então, incluo o versículo que demonstra que realmente eu estou orando. Enquanto você relaxa na cama ou no sofá com os pés para cima, você pode compartilhar esse tipo de encorajamento com os outros, tendo o seu coração cheio do amor de Deus – e os que vão receber os bilhetes serão muito abençoados!

Atualmente, sempre carrego comigo uma pasta com as correspondências que preciso responder, os nomes daqueles a quem preciso agradecer alguma coisa, e muitos cartões de recado, envelopes, cartões-postais e selos. Onde quer que eu esteja – em um avião, em um hotel, aguardando em um aeroporto, relaxando em um centro de convenções, esperando meu marido no carro ou sentada na biblioteca, num café, ou quando chego à igreja alguns minutos antes do culto – posso encorajar outros com um bilhete. E você também pode – com apenas três frases!

Encoraje outros por meio de três dons espirituais

Quando li *Balancing the Christian Life,* do teólogo Charles Caldwell Ryrie, descobri mais três ministérios que você e eu – e todos os cristãos – podemos exercer. Na realidade, como mostrou o Dr. Ryrie, estes três ministérios não só são dons espirituais específicos, mas também são mandamentos para todos os cristãos. Dr. Ryrie os descreve como "três dons [espirituais]... que provavelmente todos os cristãos poderiam ter e usar, se quisessem. São eles: ministério, contribuição e misericórdia (Romanos 12.7-8)"[1] Veja como o Dr. Ryrie os define:

Servir às vezes é usado como auxiliar ou ministrar: "É a habilidade básica para ajudar outras pessoas, e não há razão por que todo cristão não possa ter e usar esse dom."

Misericórdia é o próximo: "A misericórdia é semelhante ao dom de ministério e envolve socorrer os que estão doentes ou aflitos. 'A religião pura e sem mácula, para com o nosso Deus e Pai, é esta: visitar os órfãos e as viúvas nas suas tribulações...'" (Tiago 1.27).

Contribuir é outro ministério em que você e eu podemos – e devemos – estar envolvidas: "Contribuir é a habilidade de distribuir o próprio dinheiro entre outras pessoas, e isto deve ser feito com simplicidade, o que significa fazê-lo sem a intenção de qualquer tipo de retorno ou vantagem para si mesmo."[2]

Ministério, misericórdia e contribuição – cada um é um dom espiritual específico, mas todos nos são ordenados como cristãos. Nosso querido Salvador Jesus, de quem devemos seguir os passos, deu-nos o exemplo e desenvolveu esses dons! Então, comprometa-se a dirigir seus esforços para servir, mostrar misericórdia e contribuir, e assim cumprir a lei de Deus e encorajar seu povo.

Viva suas prioridades

Vivenciando suas prioridades, você estará ensinando e discipulando muitas mulheres – sem dizer uma palavra! A melhor forma de ensinar prioridades aos outros é dar exemplo dessas prioridades. Afinal de contas – e este é outro princípio para nós, mulheres segundo o coração de Deus –, *uma imagem vale mais que mil palavras*. Como você sabe, Deus nos tem apresentado essa imagem em Provérbios 31.11-31. Nessa passagem, Ele pinta o retrato de uma mulher que vivencia suas prioridades. E você já notou que nenhuma de suas *palavras* é registrada? Só seu *trabalho* permanece.

Pela graça de Deus e em seu poder, você pode encorajar outras pessoas da mesma maneira que essa mulher maravilhosa a encoraja. Simplesmente, concentre-se em ser quem Deus quer que você seja e em fazer o que Ele quer que você faça. Concentre-se em dominar suas prioridades. Não se preocupe em organizar seus pensamentos, preparar uma lição ou se levantar à frente de um grupo. Apenas caminhe entre as mulheres de sua igreja e de seu bairro, *fazendo* com todo o coração aquilo que deve fazer!

Toda mulher cristã precisa de modelos e exemplos – e eu não sou diferente. Eu me lembro que, quando era ainda uma recém-convertida, ia à igreja procurando modelos. Observei cuidadosamente outras mulheres cristãs. Observei seu comportamento na igreja e até mesmo o que vestiam. Se elas falavam em grupos mistos. Se elas oravam em voz alta. Notei como tratavam seus maridos, como demonstravam respeito, como se comportavam como casal em público. Observei também as mães com seus filhos, notando a maneira como elas os disciplinavam, o tom de voz que usavam para falar com eles e até as expressões em suas faces quando olhavam para eles! Nada me escapou, porque eu sabia que precisava de ajuda!

Como uma experiente observadora de outras mulheres, sei que *tudo o que você faz e não faz ensina.* O mexerico pode parecer uma coisa pequena, mas quando você foge dele ensina a outras mulheres a beleza da obediência. Quando você diz: "Eu preciso perguntar a meu marido sobre isso", mostra a outras esposas como fazer do marido uma prioridade. Quando você planeja seu dia ao redor dos horários de seus filhos, dá exemplo para outras mães de respeito e consideração aos filhos.

Se você estiver em uma fase da vida que não lhe permita ensinar formalmente, conduzir ou participar do ministério com mulheres, ainda assim está ensinando! Pense deste modo – talvez sua ausência nessas funções esteja ensinando algo sobre suas prioridades. Talvez algumas das pessoas que exercem essas funções também não devessem estar lá!

Lembra-se da citação que compartilhei antes? A sabedoria é assim: "Nós devemos dizer 'não' não só a coisas erradas e pecaminosas, mas a coisas agradáveis, lucrativas e boas, que prejudicariam e atrapalhariam o cumprimento de nossos grandes deveres e principais tarefas."[3] Agora, provavelmente você já esteja entendendo melhor quais são seus grandes deveres e principais tarefas como uma mulher cristã, esposa, mãe e dona-de-casa. Agora, você já sabe melhor que o que Deus diz é o mais importante! *Ser* o que o Pai quer que você seja – uma mulher segundo o coração de Deus – é um ministério poderoso. Outras pessoas podem simplesmente observá-la e ser encorajadas em suas próprias indagações para seguir a Cristo.

Resposta do coração

Quando você e eu caminhamos pelo capítulo sobre nosso crescimento espiritual, nós nos desenvolvemos a nós mesmas. Estabelecemos metas. Decidimos realizar o trabalho que o crescimento exige. Nosso alvo foi deixar que Deus nos enchesse e nos preparasse para um ministério futuro com outros. Reconhecendo que seria um trabalho duro, mas compensador, seguimos em frente, ampliando nosso conhecimento e aprimorando nossas habilidades.

Agora, pense na simplicidade e facilidade dos ministérios que consideramos aqui! Escrever um bilhete! Dar alguns telefonemas! Dizer palavras agradáveis! Dar exemplo das prioridades de Deus! Estes quase não requerem esforço! Cada um, porém, exige um coração cheio do amor de Deus e com sensibilidade para com os outros.

Ministério é sempre um assunto do coração. *Se* seu coração estiver cheio de preocupação pelo povo de Deus, você será privilegiada em revigorar muitas almas necessitadas de encorajamento, como uma nuvem de chuva leva a preciosa água para a terra seca. Espero e oro para que sua resposta de coração a

Deus seja gastar os poucos momentos que estes ministérios requerem e usá-los para compartilhar o amor de Deus com os outros.

Parte 3

A PRÁTICA DAS PRIORIDADES DE DEUS

21
Um coração que estabelece prioridades

...eu te busco ansiosamente...
– *Salmos 63.1*

Volte por um momento comigo até as Sete Piscinas Sagradas e veja mais uma vez como elas ilustram a beleza do plano de Deus para nossa vida, como mulheres segundo seu coração. Como essas piscinas cintilantes, a revelação do plano de Deus começa no topo da montanha. De lá, a visão da vida é ao mesmo tempo de tirar o fôlego e solene. Nossa visão de Deus e de seu plano para nós move nosso coração – seu desígnio é tão puro, tão reto, tão real e perfeito! Tendo contemplado a beleza desse cenário, agora temos de prosseguir e *fazer* a vontade de Deus. Assim, tomamos fôlego e decidimos agir. Mas como começar? Onde começamos? A mulher que escreveu este poema, ao voltar do cume onde você e eu estamos agora, pode expressar o que você está sentindo.

Tanto material,
Tanto a aprender,

Tanto a mudar,
Tanta preocupação.

"Alguma coisa é melhor que nada",
Nos dizem.
E, novamente, sabedoria e entendimento
Valem mais que ouro.

Por onde começar? Não estou nem perto!
Dou um passo para a frente – dois para trás,
Descubro minhas prioridades todas fora de lugar.
Eu *quero* estar no caminho certo.

Ore por mim, eu preciso muito,
Pois tenho uma longa jornada a seguir.
Muitas coisas são óbvias hoje,
A resposta para este dilema – ORAR![1]

Se estas palavras poderiam ser as suas palavras, preste atenção! Ainda não chegamos ao final. Deus tem mais diretrizes para nos ensinar a viver a sua vontade. Além disso, Deus nos revela a sua vontade conforme lemos sua Palavra, oramos e buscamos conselhos, e Ele sempre nos dá capacidade para cumpri-la. A graça de Deus é sempre suficiente para a tarefa (2 Coríntios 12.9-10)! Na realidade, Ele já lhe deu tudo o de que você precisa para viver sua vida em completa santidade! (2 Pedro 1.3), e você pode fazer todas as coisas – pode ser uma mulher segundo o seu coração – pela força de Jesus (Filipenses 4.13).

Preste atenção enquanto consideramos alguns dos "como"!

Uma palavra sobre prioridades

Como nossas vidas são complexas e exigentes, precisamos de um plano, se quisermos viver de acordo com as prioridades de Deus e obedecer à sua chamada para nós. A ordem de Deus para as prioridades torna as decisões do dia-a-dia, do momento a momento, mais fáceis e simples de serem tomadas. Eu posso lhe dizer de todo o coração que o sistema de administração de vida apresentado neste livro funciona! Ele trouxe ordem à minha vida tumultuada e me permitiu ver mais claramente quando as tempestades da vida começavam a assolar. A Palavra imutável de Deus tem me dado orientação segura quando a tirania bate em minha porta, tentando me afastar das poucas tarefas *realmente* importantes em minha vida – meus grandes deveres e tarefas principais de:

- Amar a Deus e segui-lo de todo o coração;
- Amar, ajudar e servir a meu marido;
- Amar, ensinar e disciplinar minhas duas filhas;
- Amar e cuidar de meu lar para prover uma vida de qualidade para a minha família;
- Desenvolver-me para que eu tenha algo a dar aos outros; e
- Amar e servir ao povo de Deus.

Praticar essas prioridades exige que usemos muitos "chapéus", e temos de usar todos eles – mas só podemos usar um de cada vez! Saber quais são as suas prioridades – e usar o "chapéu" certo na hora certa – a manterá completamente concentrada na coisa mais importante, a todo momento.

Lembre-se também que estas prioridades são oferecidas para ajudá-la a tomar decisões sobre como gastar seu tempo e energia. Elas não são apresentadas como diretrizes rígidas, mas têm o objetivo de ajudá-la a ter maior controle sobre sua vida. Esta lista de prioridades e a discussão detalhada sobre cada uma delas serve para lhe dar conhecimento, desenvolver habilidades e oferecer motivação para você seguir a Deus. Assim, enquanto você se esforça para viver de acordo com as prioridades de Deus, não se esqueça do princípio da flexibilidade. Da mesma maneira que Jesus parou e ajudou a mulher hemorrágica, quando Ele estava a caminho da casa de Jairo para ressuscitar sua filha (Lucas 8.41-56), nós precisamos ser flexíveis, avaliando pelo caminho – a cada novo evento, crise ou pessoa – qual é a nossa *real* prioridade para aquele instante.

Uma palavra sobre escolhas

Você já me ouviu dizer isto muitas vezes, e aqui vou eu novamente: As escolhas que fazemos são fundamentais para as prioridades que praticamos. Desde as primeiras páginas deste livro, temos tentado escolher o bem em lugar do mal, o melhor em lugar do bom, e o ótimo em lugar do melhor. A importância dessas escolhas não precisa ser superestimada. Mas, como já vimos anteriormente, se você quiser saber o que será no futuro, é só olhar para as escolhas que está fazendo hoje. É como uma ciranda!

A mesma coisa é expressa nestes dois pensamentos: "O que você é hoje (baseado nas escolhas que está fazendo) é aquilo em que você está se tornando" e "Você é hoje aquilo em que se tem tornado" (baseado nas escolhas que já tem feito). Nossas escolhas – que refletem nossas prioridades – determinarão se cumprimos ou não os desígnios de Deus para nossa vida. Fazer tudo – ou decidir o que não precisa ser feito – é uma questão de escolha. Como quer que você se conduza nos próximos cinco minutos, na próxima hora, amanhã ou sempre, as suas escolhas fazem toda a diferença do mundo!

Uma palavra sobre os outros

Você notou que ainda não abordamos algumas áreas da vida? Ainda não mencionei os pais, irmãos, irmãs ou membros agregados da família; trabalhos ou carreiras; amigos, vizinhos, passatempos prediletos, diversões, vida social ou milhares de outros elementos que compõem uma vida completa e única. Todos eles precisam ser acrescentados e administrados quando levamos uma vida que agrada a Deus – e todos eles devem ser desfrutados! A Bíblia diz: "...Deus, que tudo nos proporciona ricamente para nosso aprazimento..." (1 Timóteo 6.17).

Discutir adequadamente a longa lista de outras pessoas e aventuras que Deus pôs em sua vida exigiria outro livro. Assim, por hora, simplesmente acrescente essas "outras" categorias ao fim da lista das seis prioridades que vimos há pouco, pois estas seis não mudam. Cada um desses seis aspectos, seis papéis que desempenhamos, é especificamente apresentado na Bíblia. Temos olhado para o plano de Deus, suas prioridades e tarefas. A situação de nossa vida pode mudar, mas a Palavra de Deus nunca muda. Como proclama o salmista: "O conselho do Senhor dura para sempre; os desígnios do seu coração, por todas as gerações" (Salmos 33.11)!

Assim, eu deixarei que você priorize as áreas restantes de sua vida. Deus lhe revelará a ordem quando você orar, procurar na Bíblia e buscar conselho sábio. Ele mostrará a você como ser uma mulher segundo seu coração em todos os detalhes da sua vida!

Uma palavra sobre esperar

É impossível ler o livro de Provérbios sem captar a mensagem de que *a sabedoria espera*. Como um princípio geral para praticar suas prioridades, saiba que é mais seguro esperar e não fazer nada do que ter pressa e fazer a coisa errada. Um dos muitos provérbios que expressam esta verdade bíblica diz: "... peca quem é precipitado" (Provérbios 19.2).

Deixe-me compartilhar como aplicamos este princípio de que *a sabedoria espera* em nossa casa num dia quente de verão. O telefone tocou, e a ligação era para minha filha Katherine. Era uma amiga sua que eu não conhecia, nem sobre quem tinha ouvido falar. Essa adolescente estava convidando minha filha para ir à praia naquela hora. O recado dela foi: "Estamos saindo agora e vamos pegá-la em 15 minutos"!

Bem, Katherine não foi à praia naquele dia. Por quê? Em primeiro lugar, porque nosso dia já estava planejado ("O plano A é sempre o melhor" é um de meus lemas) e não incluía sua ida à praia. Também, porque Jim e eu não conhecíamos esse grupo de amigos (quem estaria dirigindo, se meninos iriam...), e não teríamos nem mesmo um número de telefone. Esse plano definitivamente era algo a que poderíamos dizer não; nós pudemos esperar e esperamos por um passeio à praia planejado mais tarde.

Uma amiga também teve a oportunidade de espera. Sua sogra exigiu uma carta de desculpas, relativa a uma situação muito difícil – e ela queria isso *pra já*! *A carta teria de ser colocada no correio naquele dia para que pudesse chegar no dia seguinte ou no segundo dia depois de remetida*! Minha amiga enviou a carta – uma semana depois. Por quê? Porque ela quis orar, ter o coração tranqüilo, buscar conselho e então levar a carta para alguém ler e ajudá-la a redigir de forma que cumprisse os propósitos de Deus – que realmente foram mais bem alcançados por causa da espera do tempo próprio.

Eu mesma tive oportunidade de praticar o princípio de que *a sabedoria espera* quando um vendedor ligou para mim: "Estou ligando aqui da esquina", ele disse. "Nós estamos em seu bairro hoje – e somente hoje! Esta é a chance da sua vida. Podemos limpar todos os seus tapetes *agora mesmo*, por apenas US$ 25, *mas tem de ser agora mesmo!*" Eu não fechei negócio. Por quê? Porque, novamente, eu já tinha feito planos para aquele dia e eles não incluíam a limpeza dos tapetes. Eles não incluíam também aquela espécie de confusão. (Nós gostamos de planejar nossas confusões!) Além disso, eu não tinha conversado com meu marido sobre a possibilidade de limpar os tapetes naquela hora. Eu não tenho certeza de que ele teria considerado ser esse o *melhor* uso de US$ 25 "naquele momento"! Seria bom; mas teria sido o melhor?

Como ilustra esta oferta de limpeza de tapete, o telefone nos dá a chance para praticar o princípio de que *a sabedoria espera*. Ele está sempre tocando, exigindo nossa atenção e dando oportunidade! Mas você e eu não temos de dar essas oportunidades *agora mesmo*. Ao contrário, temos de decidir simplesmente quem está no controle. Escolher esperar, em lugar de agir impulsivamente, é um modo de ganhar ou ficar no controle. Uma citação que escrevi em meu caderno de oração me lembra que "muito poucas coisas na vida precisam de uma decisão imediata de sua parte... Fique calma... Demore-se em sua primeira estratégia para evitar [o caos e a crise].... Uma boa regra para se lembrar é que a maioria das coisas parece mais importante no presente do que realmente é."[2]

A sabedoria espera. E você?

Algumas mulheres que ajustaram suas prioridades

Uma noite, enquanto estava lendo (em meus "só cinco minutos"), fiquei emocionada com a história de uma mulher que quis seriamente ser o tipo de mulher segundo o coração de Deus. Seu nome era Irene e ela era uma professora de escola bíblica muito requisitada. Mike, seu marido, porém, era um cristão só de nome, que ia à igreja, mas não se envolvia em nada mais que isso. A lista de prioridades de Irene era como esta:

- Deus
- Promover estudos bíblicos para mulheres
- Família

Um dia, o Senhor falou com Irene por meio de um versículo em Efésios: "As mulheres sejam submissas – sejam submissas e se adaptem – ao seu próprio marido, como [um serviço] ao Senhor" (Efésios 5.22).[3] Quando viu este versículo familiar em uma tradução diferente, Irene percebeu que servir a seu marido era um ministério, um serviço ao Senhor. Então começou a avaliar seriamente sua vida e suas prioridades.

Ela realmente amava Mike? Colocava-o em primeiro lugar? Ela era tudo para a comunidade cristã a que servia, mas não era tudo para Mike.

Irene cortou as atividades que tinha fora de casa e começou a passar mais tempo com Mike. Quando alguém na igreja lhe pedia para ensinar, ela recusava. Quando uma amiga lhe pedia para conduzir um estudo bíblico em casa, ela recusava. Ela ficou em casa com Mike, assistiu à televisão com ele, correu com ele, jogou cartas e fez amor com ele. Irene cortou totalmente qualquer ministério fora de casa. Isso foi difícil.

Os dois anos seguintes foram como "andar em um vale escuro". Mike continuou sendo um cristão mais ou menos. Então, no meio do terceiro ano, algo mexeu com Mike. Ele começou a conduzir orações e fazer alguns estudos. Seu compromisso com Cristo se solidificou, e Deus começou a fazer dele um líder. Irene percebeu que, se tivesse permanecido ativa, Mike também teria sido contagiado pela sua dedicação ao trabalho. Hoje, por insistência de Mike, eles ensinam juntos uma classe para casais. E eles têm novas prioridades:

- Deus
- Um ao outro
- Promover estudos bíblicos[4]

Irene deu o importante passo da obediência e reordenou suas prioridades. Você precisa fazer o mesmo? Caso precise, decidirá por fazer?

Em outra história verídica, uma mulher chamada Patrícia contou de seu ministério com crianças carentes. Depois de uma sessão de planejamento para uma produção teatral com o propósito de tirar as crianças das ruas naquele verão, Patrícia foi para casa ao meio-dia ver como estavam seus filhos.

Quando chegou em casa, um carro de polícia parou atrás dela. Sentados no banco de trás, estavam seus filhos de oito e nove anos – morrendo de medo. Enquanto ela estava fora, os dois meninos pegaram alguns fósforos na cozinha e foram para um terreno baldio soltar bombinhas. O terreno pegou fogo, e os meninos foram apreendidos pelos vizinhos.

De repente, ficou óbvio para Patrícia quais eram as crianças que ela deveria tentar tirar das ruas naquele verão. Ela ligou para o escritório do centro da cidade e deixou de atuar naquele projeto![5] Patrícia reordenou suas prioridades.

Novamente, você precisa fazer o mesmo? Se precisar, você fará?

Resposta do coração

Com certeza, é fácil as prioridades "saírem do lugar", como disse uma amiga poetisa! E fazer as devidas escolhas para voltar ao caminho com segurança pode ser duro! Mas Irene e Patrícia são como você e eu – querendo fazer toda a vontade de Deus – e então desejando fazer as escolhas certas, mesmo que elas sejam incômodas!

Deus está falando agora com você sobre como está levando sua vida? O tempo com Ele é a primeira coisa que você busca a cada novo dia?

Davi clamou a Deus no deserto:

> "Ó Deus, tu és o meu Deus forte;
> eu te busco ansiosamente;
> a minha alma tem sede de ti;
> meu corpo te almeja,
> como terra árida, exausta,
> sem água" (Salmos 63.1).

Sem um tempo regular com Deus, sua máxima prioridade, sua vida será um deserto árido e estéril, e tudo e todos nela – incluindo você – sofrerão!

Continue seguindo nossa lista de prioridades e avalie como está indo. Você está negligenciando alguma de suas pessoas prioritárias – seu marido ou seus filhos? Sua casa está florescendo como um porto de descanso, frescor, beleza e ordem para você e seus familiares? Você está usando as primícias de seu tempo livre para ser abastecida espiritualmente de forma que possa servir a Deus e ao seu povo? E, finalmente, quando você está com outras pessoas, elas são revigoradas por você, recebendo o frescor transbordante que você encontra em Deus? Seja objetiva: você está buscando as "prioridades primeiras" em primeiro lugar – diariamente?

22
Buscando o coração de Deus

A minha alma apega-se a ti...

– *Salmos 63.8*[1]

Se você e eu estivermos nos encontrando pela primeira vez neste livro, você ainda não tem visitado o jardim da minha amiga Judy. No livro *Loving God with All Your Mind*,[2] descrevi o planejamento e o cultivo de Judy naquele jardim. Agora, dois anos depois, gostaria que você pudesse ver seu jardim adorável e sereno. Judy tem ouvido muitos "Oh!" e "Ah!" durante as visitas que recebe. Algumas dessas exclamações têm sido por causa das rosas brancas que cobrem o caramanchão daquele jardim.

Sempre que estou na varanda de Judy, meus olhos viajam primeiro até aquele doce lugar coberto de rosas brancas, uma lembrança singular de tempos passados. O desejo de passear pelo caminho de pedras que atravessa sua entrada mágica é irresistível! Uma delícia para os sentidos, aquelas rosas exalam uma fragrância suave, dão uma sombra fresca e mostram uma beleza refrescante – e eu nunca estou só quando me aproximo delas:

pássaros, borboletas e o gato do vizinho também são atraídos para aquele jardim. Todas as criaturas – grandes e pequenas – apreciam muito o caramanchão de rosas de Judy.

É desnecessário dizer que esse incrível lugar certamente não é acidental nem surgiu de um instante para o outro. Muito tempo e atenção foram despendidos para criar esse jardim maravilhoso, e o tempo e o esforço continuam. Judy trabalha duro cuidando da roseira, fielmente alimentando-a, cultivando-a e regando-a no frescor e quietude do começo da manhã. Então, pegando suas tesouras afiadas no galpão, Judy começa a rotina diligente de controlar o crescimento das plantas, podando brotos desnecessários e removendo flores mortas. Executar essa cirurgia – remover qualquer coisa que impediria a formação e o desenvolvimento de suas rosas – é uma tarefa crucial. O direcionamento meticuloso ainda precisa ser feito, e Judy o faz amarrando e cercando suas rosas, entrelaçando os ramos soltos e as flores, direcionando e redirecionando cuidadosamente seu crescimento. As pessoas desfrutam de um lugar de grande beleza por causa do trabalho amoroso de Judy.

E, querida amiga e seguidora do coração de Deus, as pessoas desfrutam da beleza em nossa vida, nossa família e nosso lar quando trabalhamos do mesmo modo diligente e espontâneo com que Judy o faz. Quando você e eu levamos a sério a tarefa que recebemos de Deus, Ele abençoa nossa obediência, e o crescimento resultante é surpreendente. Ah! há tarefas agradáveis e momentos luminosos, mas há também o velho trabalho árduo – trabalho que pode não ser empolgante, mas que dá lugar às bênçãos de Deus.

Enquanto terminamos este livro, comprometidas a buscar de perto a Deus (como fez Davi no Salmo 63.8) e fazendo sua vontade (Atos 13.22), consideremos o que podemos fazer para nutrir, podar e direcionar nosso coração, de forma que possamos aproveitar os adoráveis frutos que Deus deseja que seu povo conheça quando o honra.

O que podemos fazer para nos colocar perante Deus de maneira que possamos experimentar a sua beleza e serenidade em nosso coração e debaixo de nosso teto?

Planeje seu dia

Fazer do plano de Deus para nossa vida uma realidade exige preparo de nossa parte. O primeiro desafio que enfrentamos é ter controle de um dia – hoje. Precisamos manejar o dia com nossas mãos, e – como mencionei antes – acho útil checar a agenda pelo menos duas vezes ao dia.

Primeiro, na noite anterior, quando você vai para a sua maravilhosa e convidativa cama, leve sua agenda com você (ou seu cartão, ou uma lista de coisas a fazer, um bloco – o que quer que seja). Enquanto você se senta, relaxando, liste em ordem cronológica as responsabilidades do próximo dia – todos os compromissos, reuniões ou aulas; o rodízio de carona; horários da escola e do trabalho; café da manhã, almoço e jantar. Faça uma oração a Deus, pedindo-lhe que a guie e a abençoe no próximo dia – o seu dia – e então apague a luz. Você verá que esses poucos minutos podem reduzir o número de surpresas pela manhã – tais como: "Oh! esqueci que você precisava de um almoço!", " Agora, onde é aquela lavanderia?", "Não posso acreditar que não cancelei aquela consulta no dentista!" e "Oh! não, é dia de o lixeiro passar, e eu esqueci novamente!"

Pela manhã, dê boas-vindas ao dia com as palavras de louvor do salmista: "Este é o dia que o Senhor fez; regozijemo-nos e alegremo-nos nele" (Salmos 118.24). Então, pegue uma folha de papel e esteja pronta a desenvolver um plano para praticar as prioridades de Deus ao longo do dia. (Eu uso uma folha de papel *sulfite* dobrada ao meio.) Comece orando.

Ore sobre seus planos e prioridades

Sobre o que exatamente você deve orar? Deixe-me compartilhar algumas idéias, descrevendo como desenvolvo um plano para praticar as prioridades de Deus.

DEUS – Primeiro escrevo a palavra "Deus" de um lado do meu papel dobrado e oro: "Deus, o que posso fazer hoje para viver realmente a realidade de que o Senhor é a minha prioridade máxima?"

Enquanto oro, normalmente Deus me leva a listar certas ações como orar, ler a sua Palavra, memorizar a Bíblia, caminhar com

Ele, estar consciente de que Ele está presente comigo minuto a minuto. Anoto tudo.

MARIDO – Depois escrevo a palavra "Jim". Novamente, peço ajuda a Deus: "Senhor, o que posso fazer hoje para mostrar a Jim que ele é minha prioridade humana mais importante?"

Nesse ponto, por exemplo, Deus me lembra que posso escolher estar "para cima" quando Jim chegar em casa no fim do dia e assim permanecer durante toda a noite. Posso escolher estar fisicamente disponível para ele. Posso fazer planos para uma noite especial na sexta-feira, quando as meninas estão ocupadas com suas atividades. E, é claro, posso pregar aquele botão!

FILHOS – Agora é hora de orar: "Senhor, o que posso fazer hoje para Katherine e Courtney saberem que, depois de Jim, elas são mais importantes que todas as outras pessoas em minha vida? O que posso fazer para comunicar a cada uma individualmente o quanto é especial para mim? Como posso demonstrar meu amor?"

Muitas vezes, as respostas a estas perguntas são: "fala doce", "bondade", "espírito de serva" e "não resmungar"! Quando minhas meninas eram crianças, eu programava momentos específicos diariamente para deixar de lado todas as outras atividades e ter um tempo especial para brincar ou ler com elas.

Quando cresceram, eu escolhia um cartão especial para cada uma e escrevia um bilhete de amor, ou apanhava alguns pastéis frescos a caminho de casa, voltando do estudo bíblico, ou preparava o seu lanche favorito depois da escola, ou fazia uma surpresa, apanhando-as na escola para tomarem um refrigerante depois das aulas, em vez de voltarem para casa de carona. E a lista continua sem parar.

Agora que minhas meninas estão casadas, planejo me comunicar diariamente com cada uma por *e-mail* e lhes envio bons livros como pequenos presentes-surpresa para ajudá-las a edificar suas próprias casas e encorajá-las no crescimento e interesses pessoais. Verdadeiramente, o amar, o orar e o planejar nunca terminam!

CASA – Como compartilhei anteriormente, orar sobre as atividades domésticas transporta-as do reino físico para o espiritual. Assim, eu oro: "Senhor, o que posso fazer hoje em relação ao meu lar? O que posso fazer para tornar nossa casa um pedacinho do céu, nosso 'lar, doce lar'?"

Algo como "ser fiel nas tarefas diárias de limpeza" aparecerá em minha lista da casa. "Terminar completamente" aparece em quase todos os dias, porque essa é uma qualidade de caráter e disciplina em que estou trabalhando agora – especialmente à noite, depois do jantar, quando estou cansada! Anoto também projetos especiais, como: "retirar as flores mortas de verão para abrir espaço para as novas de outono".

SOBRE MIM – Coloco minha vida diante de Deus e oro: "Senhor, o que posso fazer hoje para crescer espiritualmente? De que modos específicos posso me preparar para ministérios futuros?"

Sempre a palavra "*ler*" aparece. "Exercício" e "seleção alimentar" aparecem também com freqüência. Completar uma lição por correspondência, digitar citações de livros que eu tenha lido e ir para a cama na hora certa são outros itens. É verdadeiramente e por necessidade uma lista diversa que sugere as muitas atividades e interesses de nossa vida.

MINISTÉRIO – "E, Senhor", continuo orando, "o que posso fazer hoje para ministrar ao teu povo?"

Esta é sempre a lista mais longa conforme vou anotando: ligar para as pessoas, escrever para amigos e missionários, planejar lições, organizar, pesquisar, escrever, comprar etiquetas de nomes, preparar comida para eventos do ministério ou visitar doentes no hospital. Oportunidades para ministrar estão sempre ao nosso redor!

Como esta lista é muito longa, vou um passo adiante. Peço a Deus que me ajude a priorizar, orando: "Senhor, se eu pudesse fazer só um destes trabalhos de amor hoje, qual deles o Senhor gostaria que fosse? E se eu pudesse fazer dois...?"

Outras atividades – Como tenho dito, este livro enfoca nossas maiores prioridades, as tarefas determinadas por Deus que se encontram em sua Palavra. Mas eu sei (e certamente Deus também) que há outras facetas na vida. É por isso que penso em viver nossas prioridades como sendo alguma coisa parecida com um quadro a óleo. O artista inclui os elementos da pintura – fundo, composição, tema, estilo. Os impressionistas, porém, descobriram que pontilhando-se a tela inteira com manchas de outra cor acrescenta-se brilho ao quadro.

O mesmo acontece em nossa vida. Temos de seguir todas as regras – as regras de Deus – de forma a conter todos os elementos necessários à beleza. Mas Deus, "...que tudo nos proporciona ricamente para nosso aprazimento" (1 Timóteo 6.17), nos abençoa com pontos de cor – com pessoas, eventos, interesses, desejos e desafios que somam um brilho sem igual.

Nesta categoria, então, acrescento: fazer as compras de Natal, folhear livros em uma biblioteca ou livraria, participar de encontros com amigos, planejar outra viagem para visitar Courtney (agora no Colorado), substituir um par de sapatos. Novamente, esta lista continua sem parar – seus itens são importantes, mas não são urgentes.

Programe seus planos e prioridades

Agora eu tenho minha lista e posso levar este pedaço de papel comigo o dia todo, ou colocá-lo na porta do refrigerador, ou deixá-lo sobre o balcão da cozinha. Mas os itens desta lista apenas representam sonhos, desejos e convicções até que eu os coloque em prática e programe ajudar-me justamente nisso. Então, neste ponto, uso o outro lado do meu papel: ele se torna o meu cronograma para praticar as prioridades para o dia.

Começo orando: "Está certo, Deus, *quando* terei minha hora devocional? *Quando* eu o encontrarei em nosso lugar especial?" Escrevo "devoções" em meu horário. "E *quando* pregarei aquele botão para Jim... e planejarei nosso encontro de sexta-feira?" Anoto tudo em horários específicos. "E *quando* comprarei aqueles pastéis? ... Farei as tarefas domésticas? ... Lerei e farei exercício – mesmo que por cinco minutos?!" Pergunto a Deus quando fazer todas essas coisas que Ele e eu desejamos que sejam feitas e agendo tudo.

Quando meu tempo de orar e programar acaba, tenho em minhas mãos um plano-mestre para o dia – um plano que reflete minhas prioridades, um plano que me permite ser a mulher segundo o coração de Deus que desejo ser! A sabedoria sempre tem um plano (Provérbios 21.5)!

Se você seguir qualquer destes conselhos em planejar, orar e programar, descobrirá logo como é confortante sair deste tempo de oração com um plano claro para seu dia! Este plano, porém, é mais eficaz quando é resultado de muito cuidado e oração – quando vem como resultado de comprometer seu dia e suas atividades com o Senhor para a glória dele, quando vem pela busca de Deus para orientação no bom, melhor e ótimo. Tendo feito este compromisso e terminado sua busca, agora determine-se a seguir seu plano – o plano de Deus.

Pratique suas prioridades

Cada dia apresenta muitas oportunidades e desafios para praticar nossas prioridades. Um modo de simplificar as tomadas de decisão minuto a minuto pode ser classificar suas prioridades com números:

1 – Deus
2 – Seu marido
3 – Seus filhos
4 – Sua casa
5 – Seu crescimento espiritual
6 – Suas atividades ministeriais
7 – Outras atividades

Deixe-me mostrar como isso funciona.

- Seus filhos (nº 3) acabaram de chegar da escola, e vocês estão orando, lanchando e conversando sobre o dia. O telefone toca. Não é o seu marido (nº 2), o que significa que é um assunto de ministério (nº 6), uma amiga (nº 7) ou um vendedor (nº *@!). A decisão é simples: você não deixa a prioridade nº 3 para cuidar da nº 6 ou nº 7 (ou de uma prioridade menor ainda).

- Sua vizinha (nº 6 – um ministério) bate à porta e interrompe seu tempo com seus filhos (nº 3). O que você vai fazer? Eu aprendi a remarcar uma visita para quando eu não estiver com as crianças ou para quando elas estiverem ocupadas com o dever de casa. Edith Schaeffer sugere que você diga algo assim:

> "Irei vê-la mais tarde; agora estou tendo meia hora (ou uma hora) com Naomi." Use o nome do seu (sua) filho(a). Quando você disser: "Estou conversando com Debby (sua filha)", estará declarando a si mesma e também à pessoa: "Esta é uma pessoa com a qual tenho um compromisso importante." Seus filhos são pessoas... e as crianças precisam crescer sabendo que são importantes para você, que suas vidas são valiosas para você.[3]

- Seu marido (nº 2) está em casa e a casa está quieta enquanto vocês compartilham alguns raros minutos juntos – e o telefone toca. É uma mulher que precisa de conselho (nº 6), uma amiga que quer conversar (nº 7), ou outro vendedor (nº *@!). A decisão é direta. Você adia a conversa para outra hora, quando seu marido (nº 2) não estiver em casa.

Estas ações podem soar severas e insensíveis – como Judy cortando e redirecionando suas roseiras no caramanchão –, mas fazer estas escolhas para viver suas prioridades permite que Deus faça em sua vida um lindo trabalho. É difícil fazer estas escolhas e, às vezes dói, mas elas são necessárias para nossa vida ser o que você e eu – e Deus – desejamos que ela seja.

Este planejamento, porém – tão importante quanto é –, vai por água abaixo quando há uma emergência verdadeira. Por exemplo, quando a mãe de Jim foi hospitalizada, *todas* as atividades foram interrompidas enquanto Katherine, seu marido Paul e eu estivemos ao lado dela. Definitivamente, você pode considerar uma real necessidade como o novo plano de Deus para o seu dia. Mas nosso alvo é ser sensata (Tito 2.5) – mulheres que pensem e demonstrem bom senso! Uma mulher sensata se revela por meio das escolhas e das mensagens que envia ao seu marido, filhos e vizinhos. Uma mulher sensata se revela nas situações e considera todas as possíveis conseqüências, boas e ruins. Ela pesa tudo e – depois de certo tempo orando, esperando em Deus, buscando sua sabedoria e adquirindo santo conselho – toma a decisão certa. Você e eu podemos fazer o mesmo enquanto buscamos o coração de Deus!

Alcance a perspectiva de Deus para o seu dia

Enquanto eu priorizo as atividades de meu dia em oração, Deus me concede a visão de sua vontade para todos os dias de minha vida e para aquele dia em particular. Isto também me dá paixão pelo que estou tentando alcançar com os esforços de minha vida. Esta paixão também é abastecida pelos seguintes comentários que ouvi há 15 anos (ou mais) em um retiro para mulheres. Desde o dia em que as ouvi pela primeira vez, essas declarações me motivaram a buscar o plano de Deus para minha vida de todo o coração, alma, mente e força! Quero transmitir as declarações destas mulheres a você, na esperança de que sejam combustível para sua paixão e visão de Deus e seu chamado para você. Mas primeiro deixe-me narrar-lhe um episódio.

Um repórter entrevistou quatro mulheres e perguntou a cada uma delas o que achava dos "anos dourados", aquele período da vida "depois da meia-idade, tradicionalmente caracterizado por sabedoria, satisfação e lazer útil". Veja seus pensamentos – e medos:

A DE 31 ANOS: "Anos dourados? Eu tenho tanto a fazer antes disso, que duvido que eu chegue lá. Tenho de ajudar meu marido a ter sucesso. Quero criar nossos filhos decentemente para que estejam prontos para enfrentar um mundo muito duro. E, é claro, quero tempo para mim, para me achar, para ser eu mesma."

A DE 44 ANOS: "Só 20 anos para chegar lá! Espero apenas conseguir. Se pudermos apenas ter nossos filhos na faculdade e independentes, se pudermos apenas manter a pressão de meu marido sob controle e me ver saudável na menopausa... Espero apenas que cheguemos lá."

A DE 53 ANOS: "Tenho dúvidas. Às vezes, acho que nossos anos dourados nunca virão. Meus pais ainda estão vivos e precisam de atenção constante. Nossa filha se divorciou no ano passado e mora conosco novamente. É claro que ela teve um bebê, e é claro que meu marido e eu nos sentimos responsáveis por ela e por nosso neto."

A DE 63 ANOS: "Nós deveríamos estar no ponto, não é? Bem, não estamos. Serei honesta. Nós pensamos que estávamos poupando o bastante para viver confortavelmente para sempre, mas não estávamos. A inflação comeu nossa poupança. Agora, meu marido fala em adiar sua aposentadoria. Se ele fizer isso, eu também farei. Mantemos uma casa muito grande para nós. Ambos estamos infelizes de ver como as coisas aconteceram."

Comentários graves, não? Enquanto você e eu olhamos pelo corredor do tempo, a vida pode parecer tão desesperadora, tão sem sentido e tão sem valor!

Mas, agora, uma visão de Deus, uma santa perspectiva de uma querida amiga, a quem enviei uma cópia do que você acabou de ler. Aqui está sua resposta inspiradora: "Oh, Liz – trate cada dia como se fosse, *e só ele fosse,* nosso 'dia dourado' – e, então, que lindo colar de dias dourados, tornando-se anos dourados, teremos para devolver ao nosso Deus!"

Imagine ser uma mulher que trata cada dia como se fosse, e só ele fosse, seu dia dourado! *Esta* é uma mulher segundo o coração de Deus! Quando pensei nisso, eu disse: "É isso! Tratar cada dia como se fosse, e só ele fosse, nosso dia dourado é o *como* praticar nossas prioridades, e é também o *porquê* – a motivação e a perspectiva de que precisamos – para praticá-las!"

Pratique, pratique, pratique!

É isto que quero para você e para mim. Quero que comecemos cada dia como nosso dia dourado! Usando de metáfora, quero que nossa vida seja como um colar de pérolas, um colar de dias após dias preciosos!

Se você deseja manter uma vida proveitosa, busque ter um dia agradável, um dia de qualidade – hoje! Afinal de contas, como alguém observou, "cada dia é uma pequena vida, e nossa vida toda nada mais é que uma repetição de dias". Assim, mantenha-se voltada para a busca de um dia agradável hoje e, ao final do dia, deslize esta pérola pelo fio de seu colar. As pérolas todas somarão uma vida admirável!

Mas, e se um de seus dias tornar-se um dia de fracassos? Um dia em que você apenas tentou sobreviver? Um dia em que você economizou esforços? Um dia em que você passou negligenciando as coisas que gostaria que fossem lembradas? Todos nós temos esses dias. Demos graças a Deus, que nos permite esquecer o dia que passou, alcançar a manhã seguinte e prosseguir para o alvo – a pérola – de novo, de novo e de novo (Filipenses 3.13-14)! Pelo seu poder e pela sua graça, continuamos buscando o coração de Deus – não importa o que aconteça!

Afinal de contas, todas as manhãs Ele lhe dá um novo dia, seu presente de vigor, uma oportunidade preservada para ser vivida de acordo com as prioridades divinas. Além disso, exercitando o privilégio da confissão e por causa do perdão de Jesus, você tem um novo e claro começo a cada amanhecer. As misericórdias do Senhor se renovam a cada manhã e a sua fidelidade é grande (Lamentações 3.22-23)! Assim, todas as manhãs, lembre-se de que seu objetivo é simples: ter apenas um dia agradável, vivenciando suas prioridades. Então, mantenha-se decidida a seguir o plano de Deus para sua vida para este dia. Apenas por um dia, tente colocar as prioridades em primeiro lugar.

Quando um dia como esse terminar, provavelmente você estará cansada ao cair na cama. Eu sei porque eu fico! Mas também experimentará uma paz incomparável em seu coração. Uma paz que vem por descansar no Senhor e fazer as coisas como Ele deseja. Uma paz que vem por saber que, porque você viveu as prioridades de Deus para você, tudo está bem debaixo do seu teto.

Por que essa paz? Porque você buscou o Senhor de perto o dia inteiro! As pessoas em sua vida foram amadas e servidas com o transbordamento de seu coração repleto. Seu lar foi cuidado – e a beleza e a ordem de Deus reinam no refúgio que você criou. Você cuidou de si mesma e cresceu enquanto Deus a desenvolveu, preparando-a para servi-lo. E você serviu – a toda e qualquer pessoa que cruzou o seu caminho. Você tocou, olhou em volta, deu e vivenciou as prioridades de Deus para uma mulher segundo seu coração.

E então havia as outras coisas – talvez seus queridos pais, almas necessitadas em seu local de trabalho, amigos especiais, tempo com um vizinho doente, presentes para serem dados no momento apropriado. Continuamente, seu dia dourado foi decorrendo enquanto você se dirigia a Deus para ter orientação, sabedoria e força, enquanto você o amava, obedecendo fielmente a Ele e enquanto se apoiava nele durante os desafios e tentativas do dia.

Realmente foi um dia cheio – mas, ah! que dia magnífico! E, sim, seu corpo está cansado – mas, ah! que fadiga satisfatória! E, sim, pode parecer que você não fez muito (não há grande evidência, nenhuma notícia de manchete, nada para contar aos outros) – mas, ah! a profundidade da abundância que sente em seu coração enquanto Deus sussurra para você: “Muito bem!”

Quando finalmente você se ajeita na cama, se cobre e afunda a cabeça no travesseiro, sabe que deslizou outra pérola no fio de seu colar! Esta pérola valiosa é o prêmio mais magnífico que uma mulher segundo o coração de Deus espera receber. A recompensa por viver conforme os métodos de Deus é imensurável, indizível e indescritivelmente maravilhosa! Estou me esforçando para encontrar as palavras!

Assim, ao término de seu dia, seu coração está satisfeito e contente. Você deu, viveu, buscou e amou. Em retorno, Deus "...dessedentou a alma sequiosa e fartou de bens a alma faminta" (Salmos 107.9). A paz que você sente é a satisfação que vem por ter estado alegremente fazendo a vontade de Deus, por ter sido uma mulher segundo o coração de Deus – por apenas um dia!

Agora... deixe este único dia – este único passo – encorajá-la a alinhavar suas pérolas *diárias* em uma *vida toda* como uma mulher segundo o coração de Deus!

Ações do coração

Capítulo 1 – Um Coração Dedicado a Deus

- Leia Lucas 10.38-42. O que fez Marta? E Maria? Na maioria das vezes, você é mais parecida com Marta ou com Maria? Baseie sua resposta em detalhes específicos de sua vida. Então, compartilhe com Deus o desejo do seu coração de ser uma mulher dedicada a Ele, que escolhe gastar tempo com Ele. Peça também ao Senhor que a ajude a deter-se, olhar e ouvi-lo da próxima vez que a pressão e a tensão a envolverem.
- Considere a verdade de Provérbios 3.6. De que maneira consultar a Deus em cada novo desafio ao longo do dia faz diferença em suas respostas diante desses desafios? Pense em uma vez em que você se dirigiu a Deus antes de agir. O que aconteceu em seu coração? E com a situação?
- Escreva uma oração em um papel, confiando ao Senhor tudo o que você é e tudo o que você tem. Apresente-lhe esta oração com um coração contrito. Então guarde esse papel – e ore de novo, e de novo!

- Desenhe um termômetro com três marcas de medida: frio, morno e quente. Imagine que você tem de colorir na linha do mercúrio a marca que melhor descreve o calor de seu coração. Onde estaria esta marca hoje? Que passos específicos você pode dar para se colocar diante de Deus de forma que Ele possa aquecer seu coração? Que passo você dará esta semana?

Capítulo 2 – Um Coração Firme na Palavra de Deus

- Leia Salmos 1.1-3, Isaías 58.11 e Jeremias 17.7-8. Liste as características da mulher cujo coração está firmado na Palavra de Deus.
- O que ensina o Salmo 42.1-2 sobre o tipo de desejo que devemos manter pelo nosso Deus?
- Até que ponto a verdade de 2 Coríntios 4.16 ("...mesmo que o nosso homem exterior se corrompa, contudo, o nosso homem interior se renova de dia em dia") é real para você? Para você, qual a importância de um tempo com Deus no seu dia-a-dia, quando enfrenta seus desafios diários?
- Analise estes três estágios para a leitura da Bíblia: (1) o estágio do óleo de fígado de bacalhau, quando você a lê como quem toma um remédio; (2) o estágio da farinha de trigo, quando você lê a Bíblia como quem se alimenta a seco; e (3) o estágio dos pêssegos com creme, quando a leitura é consumida com paixão e prazer.[1] Que estágio descreve melhor a leitura que você tem feito da Palavra de Deus nos últimos tempos? Que passos você poderia dar para alcançar o estágio dos pêssegos com creme, se você ainda não o alcançou?
- Se você ainda não o fez, sonhe com o seu crescimento espiritual. Que tipo de mulher você quer ser daqui a um ano? Daqui a dez anos? Seja específica. Submeta seus sonhos à oração (converse com Deus sobre eles regularmente), à ação (que passo específico dará em direção

ao seu sonho para daqui a um ano?), e a outra pessoa (deixe que uma mulher de oração a ajude a alcançar seu objetivo).

Capítulo 3 – Um Coração Comprometido com a Oração

- Ore agora mesmo por cinco minutos. Sente-se, feche os olhos, acerte um cronômetro, se isto lhe ajuda a relaxar, e fale com Deus de coração. Conte-lhe o quanto anseia receber dele, o quanto deseja ser mais profundamente dedicada a Ele, e o quanto deseja cultivar um coração de oração. Escreva, memorize e medite no Salmo 42.1-2.
- Consulte sua agenda para amanhã e marque um horário para orar. Determine o tempo e o lugar.
- Se você ainda não tem um caderno ou um diário para escrever seus pedidos de oração, arranje algum hoje e comece a registrar os nomes das pessoas e as decisões pelas quais quer orar.
- Revise as bênçãos da oração (veja páginas 39-47). Qual (quais) delas você tem experimentado? Qual (quais) delas mais a motiva(m) a levar a sério o desenvolvimento de sua vida de oração?
- Leia Mateus 26.36-46. O que você vê aqui sobre a vida de oração de Jesus? Que detalhe mais a impressiona? Que aspecto mais a desafia? E o que você pode fazer para cultivar um coração de oração, o tipo de coração de que Jesus dá o exemplo?

Capítulo 4 – Um Coração Que Obedece

- Não importa o que estamos tentando cultivar – uma planta ou um coração completamente dedicado a Deus – nosso primeiro passo é podar e eliminar tudo o que é prejudicial ao crescimento. Leia 1 Pedro 2.1 e comece uma lista de atitudes de coração e comportamentos que impedem o crescimento de um coração obediente. Quais deles estão impedindo o crescimento de seu coração?
- Leia Efésios 4.25-32 e Colossenses 3.5-9 e então acrescente à sua lista aquelas ações e atitudes que pre-

cisam ser corrigidas. Novamente, o que você precisa corrigir em seu coração? Seja específica.

- Agora concentre-se no positivo e considere cultivar o que é necessário para crescer! Leia 1 Pedro 2.2, Efésios 4.25-32 e Colossenses 3.1-17 e liste aquelas atitudes do coração e comportamentos que enriquecem sua vida como uma mulher cristã. Que áreas (uma ou duas) você gostaria de cultivar?
- Em oração, coloque sua vida diante de Deus e abra seu coração para Ele. Peça-lhe que lhe revele onde sementes de desobediência foram plantadas ou já frutificaram. Peça perdão e, então, decidindo dar passos para treinar um coração responsivo diante de Deus e obediente, peça-lhe que a ajude.

Capítulo 5 – Um Coração Que Serve

- Releia Gênesis 2.18-25. Depois de ler este texto, qual o melhor significado que você daria à palavra "auxiliadora"?
- Que competição existe – ou existiu – entre você e seu marido? Como isso esteve, ou está, incapacitando a ambos de andarem com Deus e servi-lo?
- O marido deve ser supostamente o vencedor; a esposa deve ajudar a tornar possível essa vitória. O que você está fazendo para ajudar seu marido a ganhar a medalha de ouro? De que modo mais você poderia servi-lo?
- Considere Mateus 20.28. Em que ocasiões você tem visto Cristo usando alguém para servir a você ou a outra pessoa?
- Leia Gálatas 6.9-10. O que você tem aprendido enquanto tem servido a Deus e ao seu povo? Que bênçãos tem recebido nesse serviço?

Capítulo 6 – Um Coração Que se Submete

- Enquanto você lê cada uma das seguintes passagens, anote a frase, a idéia e/ou a ordem que chama a sua atenção.

1 Coríntios 11.3
Efésios 5.22-24, 33
Colossenses 3.18
Tito 2.5
1 Pedro 3.1, 6

- Que aspectos da submissão são novos para você ou a desafiam a mudar?
- Que mudanças de coração você deseja que Deus faça em você para que possa se submeter a Ele de boa vontade e até com alegria?
- Com alguma prática, "Claro!" tornou-se para mim uma resposta automática para os pedidos de meu marido. Escolha sua própria expressão positiva de resposta – e coloque-a em prática! Faça disso sua meta – e oração: tornar-se sábia de coração e doce no falar (veja Provérbios 16.21-24).
- Se você é solteira, considere as definições de submissão. Determine como se submeter e honrar a seus pais (Mateus 19.19), seus professores, seu chefe, seu pastor (Hebreus 13.17) e seu líder de estudo bíblico.

Capítulos 7 e 8 – Um Coração Que Ama

- Leia Tito 2.3-5. Que mensagem Deus tem para as esposas nesse texto?
- Você já decidiu fazer do relacionamento com seu marido seu relacionamento humano número um? Se sim, que ações demonstram que você está dando preferência a ele, acima de todas as outras pessoas? Se não, por que você está hesitando? Leve essa hesitação ao Senhor em oração.
- Observe novamente as nove maneiras pelas quais você pode amar seu marido. Em qual dessas áreas você precisa trabalhar?

Considere os seguintes textos:

Lucas 6.35
1 Coríntios 7.3-5
Provérbios 5.18-20
Provérbios 10.12
Efésios 4.29

Como estas instruções divinas a encorajam como esposa? Quando Deus chama, Ele dá poder – assim, peça-lhe o seu toque poderoso e transformador. Peça também que Ele lhe dê idéias específicas para cada área. Anote-as, planeje como aplicá-las em sua vida diária e, então, siga em frente, confiando na graça de Deus (2 Coríntios 12.9).

- Se você é solteira, faça uma lista das formas como você pode amar e servir às pessoas que Deus coloca em sua vida (irmãos, irmãs, pais, colegas de quarto, de trabalho, patrões, irmãos da igreja, amigos e vizinhos). Seja criativa ao listar maneiras práticas de oferecer um amor encorajador a seus amigos.

Capítulo 9 – Um Coração Que Valoriza Ser Mãe

- O que Deus está dizendo a você, uma mulher segundo o coração dele, pelos seguintes textos bíblicos?

2 Timóteo 3.15
Provérbios 1.8 e 31.1
Romanos 10.17
Isaías 55.11

- Não podemos compartilhar o que não possuímos. Não podemos ajudar as crianças a aprender, ler, estudar, discutir, memorizar ou recitar a Bíblia, se nós mesmas não estamos fazendo isso. O que você está fazendo ou o que vai fazer para abastecer seu próprio coração com a Lei do Senhor? Desenvolva um plano passo a passo. Comece com um plano pequeno, mas comece! O que você vai ler? O que vai memorizar? Quanto e com que freqüência? Quando e onde?

- Considere ler um capítulo do livro de Provérbios por dia. (Escolha o capítulo que corresponde à data.) Se você tem filhos ou não, a sabedoria de Deus deve reger seu próprio coração.
- Prepare uma agenda que ponha a Palavra de Deus no centro das atividades familiares. O que você pode fazer de manhã, no café ou antes do horário da escola das crianças? E o que pode fazer depois da escola ou durante o lanche ou o almoço, para os filhos que ficam em casa? O que você vai fazer antes dos cochilos e da hora de dormir? A maioria de nós não se arrisca a fazer muito, mas é muito fácil para todas nós fazermos um pouquinho. (Só uma observação: Seu objetivo não é assumir o papel de seu marido mas assegurar-se de que, quando você está a sós com as crianças, está ensinando a Palavra de Deus de várias maneiras.)
- Tome a decisão de "fazer tudo pelo Evangelho" e fale continuamente de Deus. Davi declara: "Bendirei o Senhor em todo o tempo, o seu louvor estará sempre nos meus lábios" (Salmos 34.1). É fácil esquecer de salgar, quando você não consegue falar continuamente do Senhor!

Capítulo 10 – Um Coração Que Ora Fervorosamente

- Leia Provérbios 31.2. O que este versículo significa para você depois de ter lido este capítulo?
- Faça uma página de oração para cada filho e neto, qualquer que seja a idade deles. Liste as qualidades espirituais que você deseja ver desenvolvidas nas vidas deles. Pense nas Escrituras enquanto você ora por essas qualidades – tanto para seus filhos e netos, como para seu próprio coração.
- A seguir, pergunte a cada uma daquelas pessoas sobre seu pedido específico de oração – e comece a orar diariamente pelos motivos listados nessas páginas.

- Se você é solteira, faça páginas de oração em favor de seus irmãos e irmãs, sobrinhos e sobrinhas. Que bênção para eles – terem você, uma mulher segundo o coração de Deus, orando por eles!
- Observe os seus caminhos! Acerte seus passos com Deus com relação aos pecados inconfessos. "O que encobre as suas transgressões jamais prosperará; mas o que as confessa e deixa alcançará misericórdia" (Provérbios 28.13). Quando a tentação vier, aja segundo a vontade de Deus. Você tem a Palavra divina como guia e, se você não tem certeza sobre o que fazer, pergunte a si mesma: "O que faria Jesus?" Não se esqueça de confiar em Deus (1 Coríntios 10.13)!

Capítulos 11 e 12 – Um Coração Que Transborda Amor Materno

- Veja as dez marcas de amor materno que a Bíblia menciona. Deixe que elas sirvam de espelho para você. Como está seu coração?
- Você já se decidiu a ser "previsivelmente contente"? Quais são os momentos difíceis do seu dia? Como você seguirá adiante na decisão de estar contente, mesmo nesses momentos?
- Como você acha que os membros de sua família se sentem vivendo em sua casa? Eles estão se divertindo? O que você vai fazer para acrescentar mais descontração à sua casa esta semana?
- Como você andará a "segunda milha" hoje?
- Liste três maneiras por meio das quais você pode comunicar aos seus filhos a grande prioridade que têm em seu coração. O que mostrará aos seus filhos que eles são mais importantes para você do que as outras pessoas?
- Acrescente "amor materno" à sua lista de oração por você mesma. Peça a Deus que encha seu coração de amor materno por seus filhos.

- Se você é solteira, como pode colocar essas marcas de um coração afetuoso à mostra em seus relacionamentos mais íntimos? Liste maneiras específicas para cada uma das dez categorias. Você pode precisar de mais papel!

Capítulo 13 – Um Coração Que Faz da Casa um Lar

- Que passos específicos você pode dar para fazer de sua casa um abrigo, um refúgio, um retiro, um hospital para seus amados, para edificar seu lar naquilo que Deus quer que ele seja? Considere Provérbios 9.1-2 e Provérbios 24.3-4 enquanto responde. Que passos você dará esta semana?
- Leia novamente Provérbios 14.1 e pense no contraste demonstrado neste versículo. Destaque três pontos negativos que você estará buscando eliminar para que possa edificar seu lar em tudo o que Deus deseja que ele seja.
- "Cristo é o cabeça desta casa, o convidado invisível em toda refeição, o ouvinte silencioso em toda conversa." Tendo consciência da presença de Jesus no seu lar, o que você vai fazer em sua casa? Seja criativa.
- "Confia ao Senhor as tuas obras [e planos], e os teus desígnios serão estabelecidos" (Provérbios 16.3). Passe tempo agora mesmo em oração confiando seus trabalhos, pensamentos, planos e sonhos sobre seu lar ao Senhor, que tem um lugar – uma casa – preparada e edificada para você no céu (João 14.2-3)!

Capítulo 14 – Um Coração Que Zela pelo Lar

- Leia Provérbios 31.10-31. Analisando esta passagem bíblica em seu contexto, o que você ouve Deus dizer a você por meio de Provérbios 31.27?
- Enquanto você considera novamente os vários aspectos do cuidado com sua casa, leia Salmos 5.3 e 1 Reis 18.42-44. Que aspecto desse cuidado mais a desafia e por quê?

- O que você pode fazer e fará para assumir com mais responsabilidade sua função de dona-de-casa? Seja específica.
- Leia estas quatro referências à mulher virtuosa ou excelente:

  Rute 3.11
  Provérbios 12.4
  Provérbios 31.10
  Provérbios 31.29

- O que você vai fazer para desenvolver seu caráter? Para desenvolver uma ética de trabalho mais forte?
- Reescreva Provérbios 14.23 em suas próprias palavras.
- Veja novamente a lista de ladrões de tempo. Marque com um asterisco as áreas em que você planeja trabalhar. Que passos dará em cada área? Em que área começará a trabalhar nesta semana?
- Passe alguns minutos em oração. Compartilhe com Deus seu desejo de cuidar da sua casa e peça-lhe que a ajude nessa tarefa desafiadora.

Capítulo 15 – Um Coração Que Cria Ordem do Caos

- Leia 1 Timóteo 5.3-16. Faça uma lista do que Deus valoriza nas mulheres que o seguem.
- De que forma o viver de acordo com os valores divinos pode nos afastar do mundo? De que forma seguir os caminhos de Deus pode afetar as pessoas que estão assistindo de fora à nossa fé?
- Examine Tito 2.3-5. Que mandamentos Deus tem para as mulheres?
- Leia, diariamente, durante uma semana, as 12 dicas para administração do tempo. Marque com um asterisco três delas em que você trabalhará todos os dias e comece nesse trabalho. Procure, também, ler um livro sobre administração do tempo. Peça ajuda a outras pessoas.

- Sua casa é bem organizada? Classifique-a numa escala de 0 a 10. Agora, escreva três passos específicos que você pode dar esta semana para melhorar a organização de sua casa e aumentar em um ou dois pontos a sua classificação.

Capítulo 16 – Um Coração Que Tece Uma Linda Tapeçaria

- Leia novamente Tito 2.3-5 e então liste as qualidades que Deus deseja ver desenvolvidas nas mulheres mais velhas. Que habilidades devem ser ensinadas às mulheres mais jovens?
- Qual é a sua atitude para com o serviço doméstico? Veja Provérbios 31.13 e Colossenses 3.23. Seja específica em relação a novas atitudes.
- De que maneira o trabalho doméstico pode se tornar na tecelagem de uma tapeçaria? Que tipo de beleza você quer encontrar em sua casa? O que você faz para acrescentar essa beleza? Qual é o papel de Deus nesse processo?
- O que Provérbios 17.24 diz a você sobre cuidar da casa?
- Pense em suas próprias habilidades domésticas. Que lição (ou lições) você gostaria de aprender com uma mulher mais velha do que você? Se você trabalha fora de casa, quem poderia lhe dar algumas sugestões de novas habilidades para administrar melhor sua casa? Peça a Deus conduzi-la à mulher certa – e para capacitá-la a seguir aquilo que você aprender.
- Se você é uma dona-de-casa experiente, pergunte a Deus se Ele a está chamando para um novo ministério – o de transmitir sua inestimável experiência. Esteja disponível para fazer isso e veja o que Deus faz.
- Quais as três providências que você vai tomar nesta semana para passar mais tempo em casa?
- Escreva sua própria lista de "eu farei" para tecer sua linda tapeçaria em casa e, então, apresente-a a Deus em oração.

Capítulo 17 – Um Coração Fortalecido pelo Crescimento Espiritual

- Leia 2 Timóteo 1.9. O que a frase "nos salvou e nos chamou com santa vocação" significa para você? Que impacto esta verdade tem em suas decisões diárias? Em seus objetivos de vida? No uso do seu tempo?
- Veja novamente Provérbios 15.14. Agora, avalie as escolhas que você faz em relação ao que deixa entrar em sua mente. Considerando nosso lema de *bom, melhor, ótimo*, que escolhas você poderia fazer hoje em direção ao melhor e ótimo?
- Inicie o processo de escolha dos tópicos dos arquivos espaçosos de sua vida. Ore pela direção do Senhor. Escute os desejos do seu coração. Preste atenção nas coisas de que gosta. Anote tantas quantas puder agora mesmo. Sonhe – e reduza sua lista depois!
- Em que novos hábitos você poderia trabalhar nas seguintes áreas? Em que hábitos novos, em cada uma dessas áreas, você começará a trabalhar nesta semana?

Sua vida física: a administração de seu corpo
(1 Coríntios 9.27)

Sua vida mental: a busca de conhecimento
(Colossenses 1.10; 2 Pedro 3.18)

Sua vida social: desfrutando o presente do companheirismo
(Hebreus 10.24-25)

Sua vida espiritual: tornando-se igual a Jesus
(Efésios 5.1-2)

- Passe mais tempo em oração. Peça a Deus para guiar e dar poder ao seu crescimento espiritual. Compartilhe os desejos de seu coração e os seus sonhos de um ministério futuro com Deus, que foi quem os colocou no seu coração.

Capítulo 18 – Um Coração Enriquecido pelo Regozijo no Senhor

- Veja novamente a lista de opções de discipulado disponível a todas as mulheres cristãs (veja páginas 187-190). Em qual delas você está ativamente envolvida? E de qual delas você poderia tirar vantagem? Escreva um exemplo de quando você foi enriquecida pessoalmente por elas.
- Escreva três metas para seu crescimento espiritual, as quais você pode alcançar cada dia. Tenha certeza de serem específicas. Comece orando da maneira expressa em Provérbios 16.3 ("Confia ao Senhor as tuas obras, e os teus desígnios serão estabelecidos"), cada dia, enquanto você submete essas metas ao Senhor.
- Apenas por um dia, analise o uso de seu tempo. Especificamente, procure pelos minutos livres que você controla. Como você poderia se lembrar de escolher usá-los para o crescimento espiritual? O que pode você fazer para aproveitá-los (Colossenses 4.5) para maior crescimento? Como você pode se preparar para esses momentos? (Compre um livro para levar com você. Tome emprestadas algumas fitas para escutar. Escreva versículos em pequenos cartões para serem memorizados.)
- Fique atenta e descubra se há alguma conferência, curso, seminário ou retiro a ser realizado perto de onde você vive e que enriqueceria seu crescimento espiritual. Lembre-se que a rainha de Sabá viajou cerca de 2.640 quilômetros para crescer! (Veja 1 Reis 10.1-3 e Mateus 12.42.)
- Crie uma página de oração intitulada "Crescimento Espiritual", para suas metas, projetos, sonhos, esses eventos que podem ajudá-la em seu crescimento. Peça a Deus que a oriente enquanto enriquece sua alma e espírito!

Capítulo 19 – Um Coração Que Demonstra Cuidado

- Passe um minuto considerando sua vida particular. Medite em Colossenses 3.1-3. Que mudanças diárias simples – ou significantes – de estilo de vida você fará para poder gastar mais tempo sendo abastecida com a bondade de Deus?
- Como você se avalia quanto ao dar? Quanto a olhar ao redor? Você se considera uma doadora – ou alguém que se nega a dar? Veja Provérbios 3.27. Que bem você está negando aos outros? Defina um plano claro de ação para abrir sua mão e fazer o bem – e para fazer deste importante processo de aprendizagem um assunto de oração.
- O que exatamente você vai fazer para "dar" da próxima vez que você for ao culto na igreja? Planeje cada próxima vez, de forma que possa tornar esse comportamento parte de seu estilo de vida.
- Voltemos à oração! Veja Efésios 6.18. Você acredita que a oração seja um ministério com outras pessoas? Por que sim, ou por que não? Quando você foi abençoada pelo ministério da oração? Quando você tem servido a Deus e a outras pessoas por intermédio do ministério da oração? Agora, escreva seu horário, lugar e plano de oração. Antes de fechar este livro, passe um momento em oração sincera – e comprometa-se a seguir seu plano de oração amanhã.

Capítulo 20 – Um Coração Que Encoraja

- O que você consideraria a maior fraqueza de sua vida, alguma coisa que a impeça na área do ministério com os outros? Nós observamos duas mulheres que sofriam com a timidez. Do que você sofre e/ou em que fracassa ao ministrar aos outros? Nomeie e então liste os passos que pode dar esta semana para fortalecer essa área de fraqueza e seguir superando-a completamente. Crie um plano de ação.

- Avalie-se na área da memorização da Bíblia: Você põe sua mente para trabalhar, escondendo a Palavra de Deus em seu coração *regularmente, de quando em quando, normalmente, algumas vezes* ou *nunca?* Leia e considere Salmos 119.11.
- O que a impede de memorizar mais passagens bíblicas? O que a ajudaria a memorizá-las? Um parceiro na responsabilidade? Selecionar cinco versículos para memorizar? Determinar um tempo diário para isso? Aproveitar para memorizar enquanto você faz alguma outra coisa (passa roupa, caminha, dirige, cuida do jardim, limpa a casa)? Planeje realizar e coloque em prática aquilo que a motiva e a ajuda!
- Leia Isaías 50.4, Efésios 4.29 e Colossenses 4.6, anotando o ministério que suas palavras podem realizar. Quem precisa que você faça uma ligação ou envie um bilhete de encorajamento? Faça isso hoje.
- Leia novamente a descrição do ministério da mulher de Provérbios 31. Ela determinou suas prioridades e as vivencia para nós por toda a eternidade. O que você aprende com ela? Como você pode viver suas prioridades – sendo uma mulher segundo o coração de Deus – de forma que os outros possam se beneficiar com seu exemplo?

Capítulo 21 – Um Coração Que Estabelece Prioridades

- O que sua vida – seu calendário, sua lista diária de coisas a fazer, seus compromissos semanais, seu talão de cheques, etc. – sugere sobre suas prioridades? Liste suas prioridades baseada na realidade de sua vida, e não nos desejos de seu coração. Então, dedicadamente, considere que mudanças você precisa fazer para vivenciar as prioridades que mantém em seu coração. Faça da oração do salmista no Salmo 90.12 parte de suas orações.

- Quais as escolhas que costumeiramente você tem feito e que têm resultado em colocar "fora do lugar" as suas prioridades? Que novas escolhas – só por hoje – a ajudarão a fazer alguns ajustes necessários? Que novas escolhas você gostaria de tomar como suas para sempre?
- Liste as pessoas e os objetivos de sua vida que não estão incluídos na lista dos seis itens apresentada neste capítulo. Depois de orar e ler as Escrituras, coloque essas pessoas e objetivos em uma ordem que honre a Deus e reflita os seus valores. A seguir, faça uma página de oração para cada uma em seu caderno, na ordem que você determinou e, então, ore!
- Pense na verdade de Provérbios 19.2b. Quanto você pode esperar? Recorde-se de uma vez em que você soube esperar, de uma ocasião em que não soube, e o resultado de cada uma dessas ocasiões. Por que é tão difícil esperar? Que passagens ou exemplos da Bíblia poderiam ajudá-la a desenvolver o hábito de esperar no Senhor?
- Considere os princípios encontrados em Provérbios 19.2, Efésios 5.15 e Colossenses 4.5. O que estes princípios dizem para você sobre buscar primeiro as maiores prioridades?

Capítulo 22 – Buscando o Coração de Deus

- Comece agora mesmo a planejar o que deve ser feito hoje. Escreva em sua agenda os compromissos que já são previstos – refeições, encontros, responsabilidades. Se você está lendo este livro à noite, faça um plano para amanhã.
- Agora, passe um tempo orando por suas prioridades. Se você tem uma família, considere cada pessoa e cada responsabilidade. Se você é mãe solteira, ore diligentemente por seus filhos. Se você é solteira, fale com Deus sobre seu trabalho, seus estudos, sua família e

amigos. Peça a Deus para mostrar-lhe maneiras específicas de fazer a vontade dele em cada área.

- Confiando no discernimento alcançado por meio da oração, programe um tempo para cada atividade de amanhã.
- Determine com antecedência como colocará em prática suas prioridades por apenas um dia. Que atividades ou prazeres você vai suprimir para poder cumprir o ótimo de Deus? O que você vai fazer para treinar seu coração e mente para seguir em frente no seu plano? Imagine com antecedência como você vai controlar impulsos e tentações.
- Qual é a sua visão para sua vida? Para sua família? Para seu lar? Submeta estes desejos de seu coração a Deus – e revise-os freqüentemente, de forma que Ele e você possam trabalhar juntos para alcançá-los!

NOTAS

Uma Palavra de Boas-vindas

1. Richard Foster, "And We Can Live By It: Discipline", Decision Magazine, setembro de 1982, p. 11.
2. Ibid.

Capítulo 1

1. Ray e Anne Ortlund, *The Best Half of Life* (Glendale, CA: Regal Books, 1976), p. 88.
2. Carole Mayhall, *From the Heart of a Woman* (Colorado Springs: NavPress, 1976), pp. 10-11 [*Do Coração de uma Mulher* (Editora Betânia)].
3. Oswald J. Smith, *The Man God Uses* (London: Marshall, Morgan & Scott, 1925), pp. 52-57 [*O Homem Que Deus Usa*].
4. Andrew Murray, marcador de página.
5. Ray e Anne Ortlund, *The Best Half of* Life, pp. 24-25.
6. Betty Scott Stam, fonte desconhecida.

Capítulo 2

1. Ray e Anne Ortlund, *The Best Half of Life* (Glendale, CA: Regal Books, 1976), p. 79.
2. C. A. Stoddards, fonte desconhecida.
3. Henry Drummond, *The Greatest Thing in the World* (Old Tappan, NJ: Fleming H. Revell Company, 1977) p. 42 [Trad. A. S. G, *A Maior Coisa do Mundo* (Rio de Janeiro: JUERP, 1969), p. 47].

4. Jim Downing, *Meditation, The Bible Tells You How* (Colorado Springs: NavPress, 1976), pp. 15-16.
5. Robert D. Foster, *The Navigator* (Colorado Springs: NavPress, 1983), pp. 110-11.
6. J. C. Pollock, *Hudson Taylor and Maria* (Grand Rapids, MI: Zondervan Publishing House, 1975), p. 169.
7. J. C. Pollock, *Hudson Taylor and Maria*, p. 169.
8. Anne Ortlund, *The Disciplines of the Beautiful Woman* (Waco, TX: Word, Incorporated, 1977), p. 103.
9. Sra. Charles E. Cowman, *Streams in the Desert – Vol. 1* (Grand Rapids, MI: Zondervan Publishing House, 1965), p. 330.
10. Robert D. Foster, *The Navigator*, pp. 64-65.
11. *Los Angeles Times*, obituário de William Schuman, 17 de fevereiro de 1992.

Capítulo 3

1. Corrie Ten Boom, *Don't Wrestle, Just Nestle* (Old Tappan, NJ: Revell, 1978), p. 79.
2. Oswald Chambers, *Christian Disciplines* (Grand Rapids, MI: Discovery House Publishers, 1995), p. 117.
3. James Dobson, *What Wives Wish Their Husbands Knew About Women* (Wheaton, IL: Tyndale House Publishers, Inc., 1977), p. 22 [*O Que as Esposas Desejam Que os Maridos Saibam* (Editora Vida)].
4. Edith Schaeffer, *Common Sense Christian Living* (Nashville: Thomas Nelson Publishers, 1983), pp. 212-15.
5. Edith Schaeffer, *Common Sense Christian Living*, pp. 212-15.

Capítulo 4

1. Curtis Vaughan, ed., *The Old Testament Books of Poetry from 26 Translations* (Grand Rapids, MI: Zondervan Bible Publishers, 1973), pp. 478-79.
2. Curtis Vaughan, ed., *The Old Testament Books of Poetry from 26 Translations*, p. 277.

Capítulo 5

1. Charles F. Pfeiffer e Everett F. Harrison, eds., *The Wycliffe Bible Commentary* (Chicago: Moody Press, 1973), p. 5. [*Comentário Bíblico de Moody* (Imprensa Batista Regular)].
2. Ray e Anne Ortlund, *The Best Half of Life* (Glendale, CA: Regal Books, 1976), p. 97.
3. Julie Nixon Eisenhower, *Special People* (New York: Ballantine Books, 1977), p. 199.
4. Julie Nixon Eisenhower, *Special People*, p. 80.

Capítulo 6

1. W. E. Vine, *An Expository Dictionary of New Testament Words* (Old Tappan, NJ: Fleming H. Revell Company, 1966), p. 86.
2. *Webster's New Collegiate Dictionary* (Springfield, MA: G. & C. Merriam Co., Publishers, 1961), p. 845.
3. Elisabeth Elliot, *The Shaping of a Christian Family* (Nashville: Thomas Nelson Publishers, 1992), p. 75.
4. Curtis Vaughan, ed., *The New Testament from 26 Translations* (Grand Rapids, MI: Zondervan Publishing House, 1967), p. 888.
5. Sheldon Vanauken, *Under the Mercy* (San Francisco: Ignatius Press, 1985), pp. 194-95.

Capítulo 7

1. Gene Getz, *The Measure of a Woman* (Glendale, CA: Gospel Light Publications, 1977) pp. 75-76 [*A Estatura de uma Mulher Espiritual* (Editora Vida)].
2. Jill Briscoe, *Space to Breathe, Room to Grow* (Wheaton, IL: Victor Books, 1985), pp. 184-87.
3. Anne Ortlund, *Building a Great Marriage* (Old Tappan, NJ: Fleming H. Revell Company, 1984), p. 146.
4. Anne Ortlund, *Building a Great Marriage*, citando Howard e Charlotte Clinebell, p. 170.
5. Charlie Shedd, *Talk to Me* (Old Tappan, NJ: Fleming H. Revell Company, 1976), pp. 65-66.
6. Curtis Vaughan, ed., *The Old Testament Books of Poetry from 26 Translations* (Grand Rapids, MI: Zondervan Bible Publishers, 1973), p. 572.

Capítulo 8

1. Edith Schaeffer, *What Is a Family?* (Old Tappan, NJ: Fleming H. Revell Company, 1975), p. 87.
2. Jack e Carole Mayhall, *Marriage Takes More Than Love* (Colorado Springs: NavPress, 1978), p. 154. Citando Kay K. Arvin, *One Plus One Equals One* (Nashville: Broadman Press, 1969), pp. 37-38.
3. Anne Ortlund, *Building a Great Marriage* (Old Tappan, NJ: Fleming H. Revell Company, 1984), p. 157.
4. Julie Nixon Eisenhower, *Special People* (New York: Ballantine Books, 1977), pp. 52-53.
5. Betty Frist, *My Neighbors, the Billy Grahams* (Nashville: Broadman Press, 1983), p. 31.
6. William MacDonald, *Enjoying the Proverbs* (Kansas City, KS: Walterick Publishers, 1982), p. 56.

Capítulo 9

1. Phil Whisenhunt, *Good News Broadcaster*, maio de 1971, p. 20.
2. Stanley High, *Billy Graham* (New York: McGraw Hill, 1956), p. 28.
3. Abigail Van Buren, *Dear Abby*, *Los Angeles Times*, data desconhecida.
4. Stanley High, *Billy Graham*, p. 126.
5. Carole C. Carlson, *Corrie Ten Boom: Her Life, Her Faith* (Old Tappan, NJ: F. H. Revell Co., 1983), p. 33.
6. Elisabeth Elliot, *The Shaping of a Christian Family* (Nashville: Thomas Nelson Publishers, 1992), p. 58.
7. Mrs. Howard Taylor, *John and Betty Stam: A Story of Triumph,* edição revisada (Chicago: Moody Press, 1982), p. 15.
8. Elisabeth Elliot, *The Shaping of a Christian Family,* pp. 205-06.

Capítulo 10

1. H. D. M. Spence e Joseph S. Exell, eds., *The Pulpit Commentary, Volume 9* (Grand Rapids, MI: Wm. B. Eerdmans Publishing Company, 1978), p. 595.
2. Charles Bridges, *A Modern Study in the Book of Proverbs,* revisado por George F. Santa (Milford, MI: Mott Media, 1978), p. 728.
3. H. D. M. Spence e Joseph S. Exell, eds., *The Pulpit Commentary, Volume 9*, p. 607.
4. Stanley High, *Billy Graham* (New York: McGraw-Hill, 1956), p. 71.
5. Linda Raney Wright, *Raising Children* (Wheaton, IL: Tyndale House Publishers, Inc., 1975), p. 50.
6. E. Schuyler English, *Ordained of the Lord* (Neptune, NJ: Loizeaux Brothers, 1976), p. 35.
7. Marilee Pierce Dunker, *Man of Vision: Woman of Prayer* (Nashville: Thomas Nelson Publishers, 1980), p. 166.

Capítulo 11

1. Marvin R. Vincent, *Word Studies in the New Testament,* Vol. IV (Grand Rapids, MI: Wm. B. Eerdmans, Publishing Co., 1973), p. 341.
2. Dwight Spotts, "*What Is Child Abuse?*" em *Parents & Teenagers,* Jay Kesler, ed. (Wheaton, IL: Victor Books, 1984), p. 426.
3. Curtis Vaughan, ed., *The Old Testament Books of Poetry from 26 Translations* (Grand Rapids, MI: Zondervan Bible Publishers, 1973), p. 399.
4. Gary Smalley, *For Better or for Best* (Grand Rapids, MI: Zondervan Publishing House, 1988), p. 95.
5. Edith Schaeffer, *What Is a Family?* (Old Tappan, NJ: Fleming H. Revell Company, 1975).
6. Abigail Van Buren, *Dear Abby, Los Angeles Times*, data desconhecida.

Capítulo 12

1. Julie Nixon Eisenhower, *Special People* (New York: Ballantine Books, 1977), p. 69.

2. Linda Dillow, *Creative Counterpart* (Nashville: Thomas Nelson Publishers, 1977), p. 24.

Capítulo 13

1. Catherine Marshall, *A Man Called Peter* (New York: McGraw-Hill, 1961), p. 65.
2. James Strong, *Strong's Exhaustive Concordance of the Bible* (Nashville: Abingdon Press, 1973), p. 22.
3. Robert Alden, *Proverbs* (Grand Rapids, MI: Baker Book House, 1983), p. 110.
4. Edith Schaeffer, *What Is a Family?* (Old Tappan, NJ: Fleming H. Revell Company, 1975).
5. Julie Nixon Eisenhower, *Special People* (New York: Ballantine Books, 1977), p. 209.
6. Jim Conway, *Men in Mid-Life Crisis* (Elgin, IL: David C. Cook Publishing Company, 1987), pp. 250-52.
7. Edith Schaeffer, *Tapestry* (Waco, TX: Word Books, 1981), p. 616.
8. James Strong, *Strong's Exhaustive Concordance of the Bible*, p. 34.
9. William J. Peterson, *Martin Luther Had a Wife* (Wheaton, IL: Tyndale House Publishers, Inc., 1983), p. 67.
10. Bonnie McCullough, *Los Angeles Times*, data desconhecida.

Capítulo 14

1. Jo Berry, *The Happy Home Handbook* (Old Tappan, NJ: Fleming H. Revell, Co., 1976), pp. 41-56.
2. James Strong, *Strong's Exhaustive Concordance of the Bible* (Nashville: Abingdon Press, 1973), p. 118.
3. H. D. M. Spence e Joseph S. Exell, *Pulpit Commentary, Vol. 8* (Grand Rapids, MI: Wm. B. Eerdmans Publishing Company, 1978), p. 30.
4. Derek Kidner, *Psalms 1-72* (Downers Grove, IL: InterVarsity Press, 1973), p. 58. [Introdução e Comentários (Editora Mundo Cristão, Edições Vida Nova)].
5. William Peterson, *Martin Luther Had a Wife* (Wheaton, IL: Tyndale House Publishers, Inc., 1983), p. 81.

Capítulo 15

1. Curtis Vaughan, ed., *The New Testament from 26 Translations* (Grand Rapids, MI: Zondervan Publishing House, 1967), p. 981.
2. James Strong, *Strong's Exhaustive Concordance of the Bible* (Nashville: Abingdon Press, 1973), p. 51.
3. William Peterson, *Martin Luther Had a Wife* (Wheaton, IL: Tyndale House Publishers, Inc., 1983), p. 27.
4. Alan Lakein, *How to Control Your Time and Your Life* (New York: Signet Books, 1974), p. 48.

Capítulo 16

1. H. D. M. Spence e Joseph S. Exell, eds., *The Pulpit Commentary, Volume 21*

(Grand Rapids, MI: Wm. B. Eerdmans Publishing Company, 1978), p. 36.
2. James Strong, *Strong's Exhaustive Concordance of the Bible* (Nashville: Abingdon Press, 1973), p. 51.
3. Donald Guthrie, *Tyndale New Testament Commentaries, The Pastoral Epistles* (Grand Rapids, MI: Wm. B. Eerdmans Publishing Company, 1976), p. 194.
4. Robert Jamieson, A. R. Fausset e David Brown, *Commentary on the Whole Bible* (Grand Rapids, MI: Zondervan Publishing House, 1967), p. 1387.
5. Curtis Vaughan, ed., *The New Testament from 26 Translations* (Grand Rapids, MI: Zondervan Publishing House, 1967), p. 1017.
6. Anne Ortlund, *Love Me with Tough Love* (Waco, TX: Word, Incorporated, 1979), p. desconhecida.

Capítulo 17

1. Ted W. Engstrom, *The Pursuit of Excellence* (Grand Rapids, MI: Zondervan Publishing House, 1982), pp. 30-31. [*A Busca da Excelência* (Editora Vida)].
2. Anne Ortlund, *The Disciplines of the Beautiful Woman* (Waco, TX: Word, Incorporated, 1977), pp. 96, 98.

Capítulo 18

1. Moody Correspondence School, 820 – North LaSalle Street, Chicago, IL 60610, 1-800-621-7105.
2. Jim George, *Friendship Evangelism* (Christian Development Ministries, PO Box 33166, Granada Hills, CA 91344, 1-800-542-4611), 1984.
3. *Discipleship Evangelism* (Grace Bookshack, 13248 Roscoe Boulevard, Sun Valley, CA 91352, 1-800-472-2315).
4. Elizabeth George, *Learning to Lead: Ministry Skills for Women* (Christian Development Ministries, PO Box 33166, Granada Hills, CA 91344, 1-800-542-4611), 1991.
5. Elizabeth George, *Loving God with All Your Mind* (1994) e *God's Garden of Grace: Growing in the Fruit of the Spirit* (1995) (Eugene, OR: Harvest House Publishers).
6. Jack e Carole Mayhall, *Marriage Takes More Than Love* (Colorado Springs: NavPress, 1978), p. 157.
7. Betty Frist, *My Neighbors, the Billy Grahams* (Nashville: Broadman Press, 1983), p. 143.
8. Michael LeBoeuf, *Working Smart* (New York: Warner Books, 1979), p. 182.
9. Ted W. Engstrom, *The Pursuit of Excellence* (Grand Rapids, MI: Zondervan Publishing House, 1982), página desconhecida [*A Busca da Excelência* (Editora Vida)].
10. Michael LeBoeuf, *Working Smart*, p. 182.
11. Denis Waitley, *Seeds of Greatness* (Old Tappan, NJ: Fleming H. Revell Company, 1983), p. 95.

12. Gigi Tchividjian, *In Search of Serenity* (Portland, OR: Multnomah, 1990), página desconhecida.

Capítulo 19

1. Elisabeth Elliot, *Through Gates of Splendor* (Old Tappan, NJ: Fleming H. Revell Company, 1957), página desconhecida.
2. Anne Ortlund, *The Disciplines of the Beautiful Woman* (Waco, TX: Word, Incorporated, 1977), p. 35.
3. J. Sidlow Baxter, "Will and Emotions", *Alliance Life Magazine* (anteriormente *Alliance Witness*), novembro de 1970. Usado com permissão.
4. Elisabeth George, *Woman of Excellence* (Christian Development Ministries, P.O. Box 33166, Granada Hills, CA 91394, 1-800-542-4611), 1987.

Capítulo 20

1. Charles Caldwell Ryrie, *Balancing the Christian Life* (Chicago: Moody Press, 1969), pp. 96-97.
2. Charles Caldwell Ryrie, *Balancing the Christian Life*, pp. 96-97.
3. C. A. Stoddards, fonte desconhecida.

Capítulo 21

1. Janice Ericson. Usado com permissão da autora.
2. Michael LeBoeuf, *Working Smart!* (New York: Warner Books, 1979), pp.129, 249.
3. *The Amplified Bible* (Grand Rapids, MI: Zondervan Bible Publishers, 1965), p. 302.
4. Pat King, *How Do You Find the Time?* (Edmonds, WA: Aglow Publications, 1975), página desconhecida.
5. Pat King, *How Do You Find the Time?*, página desconhecida.

Capítulo 22

1. Curtis Vaughan, ed., *The Old Testament Books of Poetry from 26 Translations* (Grand Rapids, MI: Zondervan Bible Publishers, 1973), p. 276.
2. Elizabeth George, *Loving God with All Your Mind* (Eugene, OR: Harvest House Publishers,1994).
3. Edith Schaeffer, *Common Sense Christian Living* (Nashville: Thomas Nelson Publishers, 1983) p. 196.

Ações do Coração

1. Albert M. Wells, Jr., ed., *Inspiring Quotations* (Nashville: Thomas Nelson Publishers, 1988), p. 17.

Sua opinião é importante para nós.

Por gentiliza, envie-nos seus comentários pelo e-mail:

editorial@hagnos.com.br